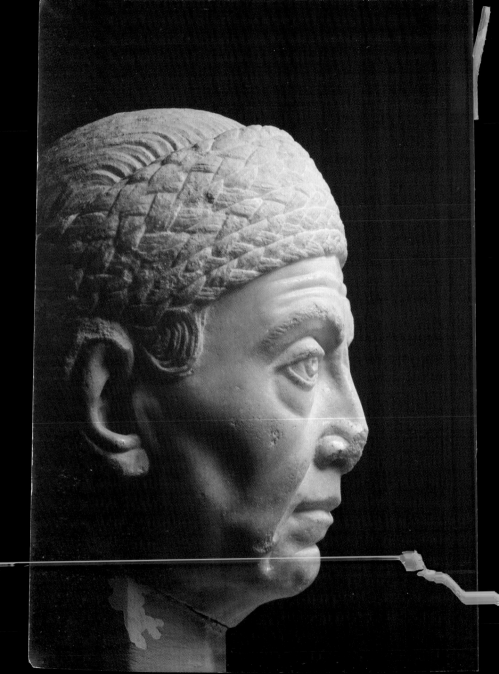

SOMMAIRE

LA LIBYE ANTIQUE

Claude Sintes

DÉCOUVERTES GALLIMARD
ARCHÉOLOGIE

Après un long oubli, les sites gréco-romains de la Libye antique, Cyrène, Leptis, intéressent avant tout les récupérateurs de matériaux précieux. Au XIXe siècle, ce sont la récolte d'œuvres d'art et la redécouverte érudite qui motivent les voyageurs.

À partir de 1911 la Libye devient colonie italienne : les archéologues transalpins fouillent puis restituent les principaux ensembles monumentaux du pays avant que naisse une archéologie nationale dans les années 1950.

CHAPITRE 1

LA LIBYE REDÉCOUVERTE

La richesse archéologique libyenne est telle que des dizaines de chefs-d'œuvre sont exhumées dès les premières recherches entreprises au XIXe siècle. Ce portrait en bronze découvert en 1861 ou la statue monumentale d'Alexandre le Grand provenant de la fouille des thermes de Trajan à Cyrène (1926) en témoignent.

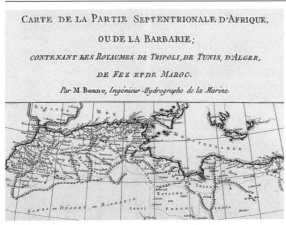

CARTE DE LA PARTIE SEPTENTRIONALE D'AFRIQUE,

OU DE LA BARBARIE;

CONTENANT LES ROYAUMES DE TRIPOLI, DE TUNIS, D'ALGER,

DE FEZ ET DE MAROC.

Par M. Bonne, Ingénieur-Hydrographe de la Marine.

Repère des pirates de Méditerranée, l'Afrique du Nord demeure peu accessible aux voyageurs occidentaux des XVIIe et XVIIIe siècles. Les géographes nomment ces terres « Royaumes barbaresques », ou « Barbarie », en référence aux populations indigènes berbères.

Au XVIIIe siècle, l'Antiquité classique devient à la mode grâce aux découvertes d'Herculanum (1709) et de Pompéi (1748), mais aussi grâce aux travaux érudits de l'historien d'art Winckelmann. Cet engouement amène les beaux esprits de l'époque à entreprendre le « voyage en Italie » ou en Grèce, les plus hardis tentent même le « grand tour » qui les conduit en Turquie et jusqu'au Levant pour contempler Baalbek.

Curieusement, la Libye est en dehors des circuits : alors que d'autres grands sites du monde antique restent dans les mémoires et enflamment les imaginations, à l'exemple de Palmyre en Syrie, des villes aussi renommées au moment de leur splendeur que Cyrène ou Leptis Magna sont tombées dans l'oubli dès la fin de l'époque byzantine : les anciennes provinces romaines de Tripolitaine ou de Cyrénaïque sont désormais devenues « Barbarie » et « Marmarique » sur les cartes. En fait, seuls les érudits qui puisent leur science dans la fréquentation d'Hérodote ou de Pline connaissent encore leur nom.

En 1694, le voyageur français Durand publie le premier plan connu du site antique de Leptis (ci-dessous). Le dessin du port (A) est assez juste avec la passe flanquée de deux tours, mais il n'était déjà plus en eau au XVIIe siècle contrairement à ce que laisse supposer le petit bateau. Sur le plan du cirque (B) on distingue les stalles de départ, l'axe central et l'hémicycle. Seule la porte triomphale dans l'axe du bâtiment est un détail inventé.

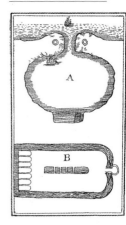

Des villes oubliées

Les vestiges des cités libyennes sont pourtant bien visibles comme la nécropole romantiquement noyée dans la végétation à Cyrène. Les empilements de blocs sortant à moitié des sables en Tripolitaine sont aussi mentionnés très tôt par les commerçants et les guerriers arabes du Moyen Âge. À Leptis, Al-Bekri est frappé au XIe siècle par une série de statues à demi ensablées ; trois siècles plus tard, un autre voyageur, Al-Tijani, note à Sabratha dans son journal :

Cette vue des vestiges de Leptis émergeant des dunes donne une bonne idée de l'état du site avant les premières fouilles italiennes en 1920.

« J'observais deux de ces colonnes dressées, très proches l'une de l'autre, formées de quatre sections, d'une taille, hauteur et qualité prodigieuses. »

Au XVIIe siècle, les ruines de Leptis sont de temps à autre visitées par des Européens. Certains sont d'honnêtes amateurs d'antiquités, comme ce chirurgien captif des corsaires qui parcourt la ville en 1668, ou ce jeune gentilhomme dénommé Durand qui, dans un texte publié en 1694 dans le *Mercure galant*, fait part de son enthousiasme devant ces majestueux vestiges : « Il faut que ce lieu ait été extrêmement superbe puisqu'on y voit encore trois choses incomparables, la magnificence du port, [...] un cirque d'une grandeur prodigieuse [...] et les environs de la ville tout remplis de bâtisses et de monuments. »

La plupart des visiteurs sont frappés par l'omniprésence du sable et par ses effets : « Ce palais, entièrement détruit, n'existe plus que dans un long mur de pierres dures [...] qui, toujours fouetté par les sables et miné par l'air salin, offre une surface qu'on ne saurait mieux se figurer qu'en se représentant un homme taché de la petite vérole. » (Jacques-Denis Delaporte en 1836)

Les marbres de Leptis

La profusion de ces vestiges à fleur de terre attise très tôt la convoitise : au XVIe siècle un premier convoi achemine quarante-huit colonnes afin d'orner une mosquée de l'oasis de Tagiura (à quelques kilomètres à l'est de Tripoli) tandis que d'autres blocs de marbres parviennent à Malte, Constantinople ou Londres.

Avec Claude Lemaire, deux fois consul de France en Libye (1686-1692 puis 1703-1708), la récupération devient une véritable industrie. Ce diplomate réside à Tripoli où il veille aux intérêts français auprès de la Porte ottomane, maîtresse du pays. Ayant eu connaissance du fabuleux gisement de Leptis, Lemaire s'assure par quelques libéralités de la bienveillance du « commandant des Maures de la région de Libida » et lève une armée d'ouvriers chargés de remuer le sol à la recherche des matériaux précieux. Guidés par les tertres de sable et par les vestiges émergents, les récupérateurs localisent aisément les édifices majeurs, qu'ils dépouillent au prix de travaux considérables : le forum sévérien, les thermes d'Hadrien ou sa palestre (gymnase) fournissent des tonnes de matériaux.

Le « calepinage » de Claude Lemaire est édifiant avec ses listes détaillant les mesures de chaque colonne embarquée, alors qu'il méprise totalement les sculptures découvertes : « Je trouvais plus de trente statues toutes mutilées et hors d'état de pouvoir embarquer, n'ayant ni tête ni bras. » Les ponctions sont d'importance : des centaines de fûts sont tirées jusqu'à la plage, chargées sur une allège, transbordées sur un navire et envoyées à Toulon puis à Paris. Les lots, stockés sur les quais en face

Ces énormes colonnes de cipolin proviennent du frigidarium des thermes d'Hadrien, à Leptis. Dans son *Mémoire*, Lemaire explique pourquoi il a dû les abandonner sur la plage : « La plupart des colonnes [...] étaient ensevelies dans le sable jusqu'à l'astragale. J'ai travaillé près de cinq mois pour faire dessabler ces trois grosses colonnes, où je trouvais les débris des autres aux environs ; je les fis conduire à la marina sur le petit port que j'avais fait pour embarquer les autres ; je ne les pus embarquer faute de chaland assez fort pour les porter à bord de la flûte du roi. »

du palais des Tuileries, sont ensuite vendus aux entrepreneurs chargés des grands chantiers de l'époque. C'est ainsi que l'autel de l'église de Saint-Germain-des-Prés ou le jubé de la cathédrale de Rouen seront ornés de colonnes en cipolin de Leptis, peut-être aussi l'église Saint-Sulpice. À ces quelques unités près, le reste est débité comme de la matière première : une grande partie sera employée pour les sols de Versailles.

Lointaine Cyrénaïque

Claude Lemaire est le premier Européen à donner une relation de voyage sur la Cyrénaïque, assortie d'une description des ruines de Cyrène. Présent dans la région en 1706, le consul est frappé par l'étendue de la nécropole, mais le marchand de matériaux qu'il est fait part de sa déception : « Les ruines de Leptis Magna sont mille fois plus superbes que celles de Cyrène, par la quantité qu'il y a de colonnes de marbre. » Ses missions (reconnaissances militaires notamment) l'empêcheront de piller les vestiges de l'antique Cyrène ; d'autres visiteurs s'en chargeront.

Dans un pays comme la Cyrénaïque, soumis périodiquement aux tremblements de terre, les dessins et relevés anciens peuvent donner de précieuses indications. Ainsi la vue de la tribune aux rostres de l'agora de Ptolémaïs, dessinée par James Bruce en 1768, en montre-t-elle un état plus complet qu'aujourd'hui où seules deux colonnes rescapées des séismes sont encore en élévation. En revanche, la brièveté de son passage ou peut-être le souhait du pittoresque l'ont amené à inventer le paysage alentour : la mer est située bien plus loin et le romantique rocher de droite n'existe pas.

La Cyrénaïque constitue alors une enclave échappant au contrôle ottoman. Bien que située sur les routes terrestres et maritimes conduisant de l'Europe à l'Égypte, l'éloignement de Tripoli, siège du gouvernement de la Régence, et les particularités de ce massif tourmenté difficile à pénétrer ont conduit la Sublime Porte à laisser les tribus locales vivre de manière presque indépendante. Elles ne manquent pas de rançonner les rares voyageurs qui s'aventurent jusque-là. L'Écossais James Bruce, en route pour une exploration de la vallée du Nil, ou le général prussien von Minutoli, venu en mission scientifique en 1820 « accompagné de savants et d'artistes qui assureraient à son entreprise des résultats de la plus haute importance », ne vont ainsi rester que quelques heures en Cyrénaïque avant d'en être chassés par les autochtones.

L'amiral et le clergyman

Malgré quelques indications émanant de non-spécialistes, la Cyrénaïque du début du XIXᵉ siècle est encore *terra incognita*. L'honneur de la première expédition scientifique revient aux frères Beechey.

Le pittoresque de la nécropole antique de Ptolémaïs n'a pas échappé aux voyageurs du XIXᵉ siècle, qui en ont souvent représenté les vestiges. Ce dessin d'Henry Beechey rend bien l'étrangeté des dalles rocheuses aménagées en terrasse au bord de la mer pour recevoir les tombeaux. Au premier plan, ce mausolée monumental daté de l'époque hellénistique comportait à l'origine une base à degrés et trois étages décorés de colonnes et de frises pour une hauteur de près de 40 mètres ! On pense qu'il fut construit par le roi Ptolémée le Jeune (143-116).

Henry, *clergyman* de son état, connaît l'arabe,
dessine avec talent et porte une sérieuse attention
aux ruines : un séjour en Égypte de 1816 à 1820
l'a familiarisé avec la recherche et les relevés
architecturaux. En 1821, le Colonial Office lui passe
commande d'un rapport illustré sur les antiquités
cyrénéennes. Cette mission, la première à but
clairement archéologique, est aussi géographique ;
Frederick Beechey, le frère, alors lieutenant dans
la Royal Navy, est
chargé de planifier la
ligne de côte de Tripoli
jusqu'à Derna, dans
le cadre d'un vaste
projet cartographique
diligenté par l'Amirauté
britannique.

Les travaux
hydrographiques
conduits par Frederick
Beechey au cours de la
mission de 1821 vont
donner un avantage
non négligeable à la
Marine britannique.
Le dessin de la côte, le
relevé des profondeurs,
la description des

Arrivés à Tripoli
en septembre 1821,
les Beechey se mettent
à l'ouvrage : relevés
hydrographiques,
mesures astronomiques,
dégagements de
vestiges, plans de villes
ou d'édifices se
succèdent à un bon
rythme. Rappelés
précipitamment à
Londres, en juin 1822,
sans doute en raison
des jalousies que suscite
leur mission, ils laissent
sur place des sculptures
récoltées à Cyrène et
des échantillons divers prêts à être embarqués.
Les résultats du voyage seront publiés en 1828,
malheureusement après avoir été amputés
de nombreux relevés et croquis pour des raisons
d'économie. Malgré des difficultés d'interprétation,
leurs plans de Taucheira, Ptolémaïs, Apollonia
ou Cyrène sont suffisamment précis pour être
aujourd'hui encore utiles aux archéologues.

mouillages ou bien
le plan soigné de
quelques ports (comme
ici celui de Benghazi)
permettent aux
vaisseaux anglais
de naviguer dans des
eaux désormais moins
dangereuses.

Le chef-d'œuvre de Jean-Raimond Pacho

Les Anglais ne sont pas les seuls à montrer de l'intérêt pour ces régions inconnues : à la même époque, la Société de géographie de Paris lance un concours « relatif à un voyage dans la Cyrénaïque » doté d'un prix considérable de 3 000 francs. La jeune Société souhaite financer une mission de type encyclopédique aux ambitions géographiques, historiques, archéologiques, botaniques, linguistiques, ethnographiques !

L'expédition sera conduite par le Niçois Jean-Raimond Pacho. Dessinateur de talent, pratiquant correctement l'arabe, doté d'une solide culture classique, le jeune homme est aussi un explorateur averti depuis ses précédentes équipées dans le delta du Nil et dans les oasis. Des atouts indispensables à cette entreprise aventureuse : la caravane doit parcourir sans aucun secours possible plus de deux mille kilomètres de pistes non cartographiées.

Pacho se met en route en novembre 1824, sans connaître l'entreprise des Beechey : « Avant mon départ, j'ignorais qu'un officier anglais, M. Beechey, eût exploré, en 1822, tout le littoral de la Pentapole libyque ; je ne l'appris qu'à Cyrène même, et j'ignore encore le résultat de ses travaux. Les talents distingués de M. Beechey m'étant particulièrement connus, j'aurais sans doute renoncé à mon projet si j'eusse eu connaissance de son voyage. Toutefois, je ne regrette point les peines que j'ai essuyées ; nos recherches pourront se compléter réciproquement… »

Parti d'Alexandrie, la petite troupe longe la côte jusqu'à Derna, puis jusqu'à Benghazi en visitant Apollonia, Ptolémaïs, Taucheira… Revenu à Cyrène, Jean-Raimond Pacho explore longuement la ville et ses alentours avant de reprendre le chemin de l'Égypte, *via* Benghazi et les oasis de Maradeh, d'Audjelah et de Siwa.

La qualité des dessins de Pacho est aujourd'hui précieuse pour les archéologues, car de nombreuses fresques ont disparu depuis son passage. D'autres ont été déplacées, comme ces métopes (ci-dessus et à gauche) découpées et rapportées au Louvre par le consul Vattier de Bourville en 1851.

Une triste fin

Les résultats sont à la hauteur des ambitions; Pacho, secondé dans la première partie de son voyage par le linguiste Frédéric Muller, rapporte dans ses carnets une moisson de plans, de coupes, de relevés, de copies d'inscriptions inédites... Les grands sites sont examinés en détail et Pacho laisse le témoignage irremplaçable de leur état avant les récupérations ou les fouilles qui interviendront quelques décennies plus tard. En outre, grâce à la lecture attentive des auteurs anciens, il identifie

Le caractère pittoresque et romantique de la nécropole de Cyrène aux tombes noyées dans la végétation va beaucoup inspirer Jean-Raimond Pacho : il consacre vingt-neuf vues d'ensemble, plans ou relevés architecturaux à ce seul site. Lors de sa visite, les tombes étaient déjà violées de longue date par les riverains qui y trouvaient des urnes ou des poteries pouvant être réutilisées pour les besoins domestiques, des métaux à fondre, plus rarement des objets précieux. Certaines familles y abritaient leur bétail tandis que d'autres y avaient élu domicile.

près d'une dizaine de sites mineurs, tant en Marmarique comme *Paraetonium* (l'actuelle Marsah Matrouh en Égypte), *Antipyrgos* (Tobrouk…) qu'en Cyrénaïque comme *Erythron* (El-Atrun) ou *Limniade* (Lameloudèh). Ses notes sont riches d'observations sur la topographie des régions traversées, sur la botanique, la faune, les mœurs et la langue des tribus locales.

À son retour à Paris, en novembre 1825, archéologues, géographes, épigraphistes sont ravis d'une telle masse d'informations nouvelles, et la Société lui décerne à l'unanimité son prix, assorti de distinctions. Malgré son succès, Pacho, épuisé par le voyage puis par la mise au point de son livre, sans argent (les 3 000 francs de récompense lui ont été volés peu après la cérémonie de remise !), persuadé, à tort, que les Anglais vont publier avant lui leurs propres travaux sur la Cyrénaïque, sombre lentement dans une profonde dépression et se suicide en janvier 1829. Sa *Relation d'un voyage dans la Marmarique, la Cyrénaïque et les oasis d'Audjelah et de Maradeh,* parue en 1827-1829, devient l'ouvrage fondateur de l'archéologie cyrénéenne. Son apport est essentiel et ses descriptions ou ses illustrations ont une valeur documentaire telle que les chercheurs s'y réfèrent encore.

À la recherche des beaux objets

Mis à part les travaux des Beechey et de Pacho, quelques relations de voyages ou descriptions érudites, le XIXe siècle est celui des grandes campagnes de recherche d'antiquités. Les représentants des grandes nations s'évertuent, pour des raisons de prestige, à rassembler les vestiges grecs ou romains afin d'en parer les musées de leurs pays. Le capitaine Henry W. Smyth, de l'Amirauté britannique, s'empare à Leptis Magna de plusieurs statues, de colonnes et d'inscriptions, « cadeaux du Pacha », qu'il transfère au château de Windsor et au British Museum en 1824. En Cyrénaïque, le consul général de Grande-Bretagne Henry G. Warrington, féru d'antiquités, se constitue

Parmi les objets prisés des collectionneurs européens figurent en bonne place les amphores panathénaïques, dont on a trouvé une trentaine d'exemplaires en Cyrénaïque. Ces objets de luxe remplis d'huile étaient offerts en prix, avec une couronne d'olivier, aux athlètes vainqueurs des jeux donnés en l'honneur de la déesse Athéna. Ci-dessous, deux lutteurs (ou deux pugilistes) combattent sous l'œil d'un arbitre. L'image d'Athéna figure sur l'autre face.

une collection libyenne tandis que le consul de France Vattier de Bourville rapporte au Louvre et à la Bibliothèque nationale des statues, divers objets et une importante inscription arrachée aux murs de Ptolémaïs en 1851.

Ces prélèvements restent assez limités jusqu'à l'arrivée de Robert Murdoch Smith, en 1860. Ce jeune officier britannique s'est fait une « spécialité » dans le démontage *in situ* des œuvres antiques au profit du British Museum : la dépose du colossal Lion de Cnide en Turquie l'a prouvé. Afin de « fouiller Cyrène en vue de fournir le plus de statues possible pour le British Museum », il obtient une dispense de service, l'aide de la Royal Navy pour le transport et des subsides de son gouvernement. Le détachement britannique logeant dans des grottes proches du site, Smith, secondé par le lieutenant E. A. Porcher, procède pendant un an à l'examen systématique des grands gisements, mais aussi à des travaux de cartographie et de relevés.

❝La tombe que nous occupions se trouvait au pied d'une colline escarpée [...]; au-dessus il y avait une longue rangée de pièces taillées dans la roche aussi, que nous utilisions pour les logements des serviteurs, la cuisine, l'étable [...]. Notre chambre avait deux ouvertures, nous avons bouché l'une d'elles à moitié avec des pierres et de la terre pour servir de fenêtre. Les nattes achetées à Benghazi fournirent d'excellents tapis et l'une d'entre elles, suspendue à l'entrée, fit assez bien office de porte.❞
Smith et Porcher, 1864

À cette époque les vestiges sont souvent apparents et la récolte est abondante en pièces de qualité. Ce ne sont pas moins de dix inscriptions et cent quarante-huit statues, portraits, bas-reliefs, bronzes qui prennent le chemin de l'Angleterre, après bien des difficultés il est vrai. Les chariots, nombreux et lourdement chargés, franchissent le double escarpement du plateau cyrénéen, soit six cents mètres de dénivelé, retenus par des ancres de marine et des poulies de renvoi, avant d'atteindre l'anse de Marsa Souza. Là attendent les vaisseaux de guerre de la Royal Navy chargés de convoyer le butin jusqu'à Londres. Après cet épisode, et jusqu'à la colonisation italienne, seule la mission américaine conduite par Richard Norton fouillera brièvement à Cyrène en 1910.

L'arrivée des Italiens

Au début du XXe siècle l'archéologie a considérablement évolué dans ses méthodes comme dans ses buts : la fouille stratigraphique (dégagement des couches historiquement homogènes) a remplacé la recherche du « bel objet ». Désormais, l'enregistrement des vestiges, même modestes, permet une datation plus précise des ensembles étudiés. Dans le même temps, la connaissance de la Libye antique ne dépend plus de la seule approche livresque : grâce aux plans et aux dessins des frères Beechey ou de Pacho, on peut enfin entrevoir la réalité physique de villes comme Cyrène ou Ptolémaïs. Ce sont les archéologues italiens qui vont avoir le privilège d'en dévoiler la splendeur.

Depuis le XIXe siècle, Anglais et Français poursuivent en Méditerranée une vigoureuse politique coloniale pour le partage des territoires occupés par l'Empire ottoman déclinant. Au début du XXe siècle, l'Italie entre en lice et jette

L'Apollon de Cyrène (à gauche) est expédié par Robert Smith à Londres en morceaux : « Après l'arrivée de la sculpture en Angleterre, les fragments recollèrent si précisément que les fractures étaient à peine perceptibles. Le tronc de l'arbre, la lyre, le serpent, l'arc, le carquois et plusieurs plis de la draperie ont été retrouvés un par un en grand nombre de fragments que nous avons collectés soigneusement. La statue telle qu'elle se tient aujourd'hui au British Museum, sans la moindre restauration, est composée de pas moins de 121 pièces différentes. »
Smith et Porcher, 1864

La qualité de ce masque de courtisane (ou de « pseudokoré »), daté du IIIe siècle av. J.-C. et qui faisait sans doute partie d'un décor intérieur en stuc, fait regretter que les arts mineurs soient assez peu représentés parmi les découvertes cyrénéennes.

son dévolu sur la Libye, zone tampon entre les possessions anglaises en Égypte et le Maghreb, sous influence française. Des missions archéologiques sont conduites dans le pays, avant même la guerre italo-turque, par Federico Halbherr et Gaetano De Sanctis en 1910, de Derna à Benghazi puis à Leptis. L'année suivante, ce sont Salvatore Aurigemma et Francesco Beguinot qui explorent la Tripolitaine. Ces expéditions ont des buts scientifiques bien sûr mais constituent aussi un « ballon d'essai », signal fort des visées italiennes envoyé aux autres nations. À la suite d'une rapide campagne, un décret du 5 novembre 1911 déclare italiennes la Tripolitaine et la Cyrénaïque. Le contrôle du pays se heurte cependant à une vive opposition locale ; il faut attendre la capture d'Omar Muktar, chef des moudjahiddines, vingt ans plus tard, pour que la Libye soit véritablement considérée comme soumise.

Le commandement militaire italien ne s'attendait pas à une résistance armée aussi sérieuse, en Cyrénaïque surtout. Des troupes coloniales chamelières furent envoyées en renfort, comme ces askaris érythréens posant fièrement dans la nécropole de Cyrène.

Premières fouilles

Dès la défaite ottomane, les archéologues transalpins se mettent au travail dans tout le pays ; en quelques décennies les cités majeures surgissent de terre : Leptis, Sabratha, Cyrène, Ptolémaïs, Apollonia, Taucheira. Les premiers remontages

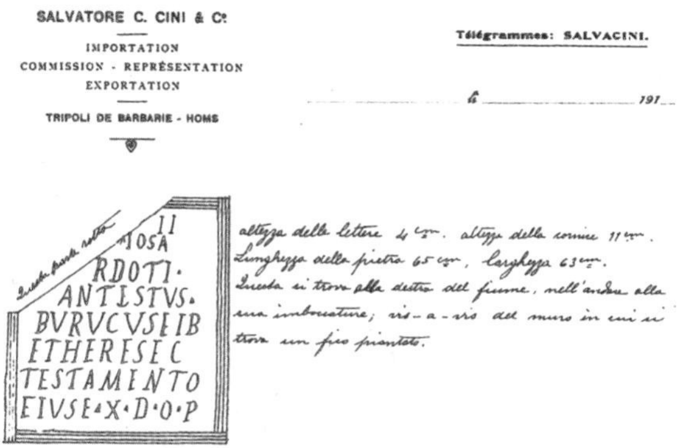

SALVATORE C. CINI & C.

IMPORTATION
COMMISSION - REPRÉSENTATION
EXPORTATION

TRIPOLI DE BARBARIE - HOMS

Télégrammes: SALVACINI.

li .... 191..

Questa parte rotta

II
IOSA
RDOTI·
ANTISTVS·
BVRVCVSEIB
ETHERESEC
TESTAMENTO
EIVSE·X·D·O·P

altezza delle lettere 4 cm. altezza della cornice 11 cm. Lunghezza della pietra 65 cm, larghezza 63 cm. Questa si trova alla destra del fiume, nell'andare alla sua imboccatura; vis-a-vis del muro in cui si trova un fico piantato.

architecturaux utilisant les matériaux antiques trouvés sur place (technique que les archéologues appellent *anastylose*) apparaissent avec les thermes d'Hadrien à Leptis ou l'agora de Cyrène fouillée par Ernesto Ghislanzoni. On est loin des dégagements hâtifs et des « chasses au trésor » connus jusqu'alors. « C'est ainsi, écrira le chef de la mission de Leptis, Lidiano Bacchielli, qu'apparaît un champ infini de ruines suggestives que les archéologues italiens se mettent à recoudre, l'une après l'autre, au prix de longues et patientes restaurations. On voit réaffleurer peu à peu les lignes du tissu urbain. Dans les masses monumentales se créent des raccourcis et des perspectives qui correspondent à la splendeur d'un passé que l'on ne connaissait, jusque-là, qu'au travers des sources antiques. »

À Tripoli, l'arc de Marc Aurèle est dégagé de ses maisons parasites par Salvatore Aurigemma, qui découvre aussi la villa maritime de Zliten. Pietro Romanelli entreprend les fouilles de Leptis avec la mise au jour de statues de toute beauté comme l'Artémis d'Éphèse provenant de l'amphithéâtre, tandis que Renato Bartoccini débute en 1921 l'exploration de Sabratha en identifiant notamment le forum, la basilique d'Apulée ou celle de Justinien. En Cyrénaïque les découvertes commencent dès 1913 avec la retentissante mise au jour accidentelle de la Vénus anadyomène.

Federico Halbherr put compter sur un réseau d'informateurs, tel ce commerçant, Salvatore C. Cini, qui lui envoie, en 1910, le scrupuleux relevé d'inscriptions qu'il a découvertes lors de ses déplacements.

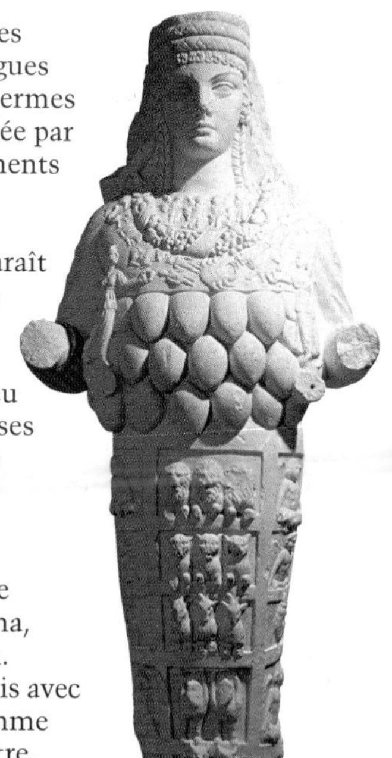

L'Artémis d'Éphèse, datée du règne d'Hadrien (117-138), provient d'un petit temple situé au sommet de l'amphithéâtre de Leptis.

Entrepris sans grands soins au début en raison du manque de spécialistes puis des conditions matérielles difficiles occasionnées par la guerre, les travaux sont ensuite planifiés et systématisés. Une bonne part des sculptures aujourd'hui conservées au musée de Cyrène est découverte à cette époque dans le temple de Zeus, d'où provient la copie d'un original de Phidias, dans le sanctuaire d'Apollon (1925) ou dans les grands thermes (1926).

Cette émouvante photo (à gauche) d'une « récolte » effectuée dans la région de Cyrène, sans doute par la mission américaine de Richard Norton en 1910, rassemble des pièces encore imprégnées de la terre rouge caractéristique des sols de la Cyrénaïque. Parmi elles, le marbre blanc d'une Athéna casquée. Certains spécialistes pensent qu'il s'agit d'un exceptionnel original grec du IVe siècle av. J.-C. sculpté par un artiste attique.

Les reconstitutions de l'époque mussolinienne

En 1926, quelques années après l'avènement du fascisme, le Duce visite la plus grande des colonies italiennes, non sans manquer d'inspecter au passage les travaux archéologiques conduits à Sabratha et Leptis Magna. Grimpé sur le nymphée sévérien (baptisé pour l'occasion « belvédère Mussolini » !), le dictateur peut mesurer toute l'ampleur de la tâche restant à accomplir. L'intérêt du régime pour les ruines n'est pas innocent, car prouver la très ancienne présence de Rome ici, grâce à la spectaculaire reconstitution de ses monuments les plus emblématiques, rend légitime pour les fascistes le retour de la « civilisation » en terre libyenne. Ce point de vue est largement partagé par d'autres Européens partisans de la manière forte, comme

l'écrivain français Louis Bertrand en 1935 : « Voici [Rome] revenue dans une des grandes provinces de la Latinité. Nous qui sommes avec elle les descendants et les continuateurs de l'Empire, nous ne pouvons que saluer avec joie le retour ici des Légions et des Aigles. »

Pour servir ce dessein politique les archéologues reçoivent des moyens nouveaux et sont fortement encouragés à pousser les fouilles et les reconstitutions architecturales. Il s'agit de valoriser le patrimoine archéologique gréco-romain, ce qui se fait souvent au détriment des vestiges tardifs et islamiques, dégagés hâtivement.

Le Duce, campé sur un bloc d'architrave dans la basilique sévérienne lors de sa deuxième visite de Leptis en 1937, contemple la grandeur de Rome, « notre modèle ». Les travaux de fouille conduits dans les années 1930 mobilisent des centaines d'ouvriers, mais aussi des « chemises noires » que l'on voit ici manier la pelle lors du dégagement de la voie triomphale, le *cardo*, qui mène au port antique. Pour faciliter l'évacuation du sable avant l'intervention plus fine des archéologues, on utilise des techniques minières, comme ces wagonnets Decauville qui sont roulés jusqu'à la plage pour y être vidés.

Des savants de qualité comme Renato Bartoccini,
Giacomo Guidi, Giacomo Caputo ou Gaspare
Oliverio, vont utiliser les méthodes stratigraphiques,
notamment pour les fouilles du temple d'Aurélien à
Sabratha et du théâtre de Leptis. Le théâtre de Sabratha
reste l'exemple le plus accompli d'une fouille suivie
d'une anastylose, avec son mur de scène de vingt-cinq
mètres de hauteur accueillant quatre-vingt-seize
colonnes de marbre. À Leptis, il aurait fallu quelques
années de plus pour achever les travaux de l'ensemble
sévérien : l'on reste aujourd'hui confondu par le
nombre de colonnes alignées dans la basilique et les
placages de marbre soigneusement rangés sur le forum
depuis les années 1930, en attente de leur remontage.
Mais les scientifiques ne termineront pas leur ouvrage
car la guerre mondiale est proche. Pendant le conflit,
les conservateurs italiens procèdent à plusieurs
campagnes de déménagement d'œuvres, mises à l'abri
en prévision des bombardements ou des pillages.
Ils reçoivent l'ordre de charger dans les fourgons
de l'armée en retraite les pièces les plus prestigieuses :
certaines seront amenées à parcourir plus de mille
kilomètres d'est en ouest, de Cyrène à Sabratha !

Naissance de l'archéologie libyenne

À la suite des combats victorieux de l'année 1943 qui mènent le général Montgomery jusqu'à Tripoli, la Libye est administrée par les troupes alliées. La Grande-Bretagne gère les provinces de Cyrénaïque et de Tripolitaine tandis que la France occupe le Fezzan. Cette situation provisoire prend fin en décembre 1951 avec la proclamation de l'indépendance. Plus tard, le Royaume uni de Libye connaît d'importants troubles politiques qui culminent lors de la guerre des Six Jours. Le terrain est prêt pour un changement radical. Le 31 août 1969, une poignée de douze conjurés conduits par Muammar al-Kadhafi, un jeune capitaine de 27 ans, réussit de manière presque pacifique un coup d'État : la République arabe libyenne est née.

Au début des années 1950, la Libye ouvre ses portes aux missions étrangères : Italiens, Anglais ou Américains étudient les grands sites. La Mission archéologique française de Libye entreprend des

Le remontage du théâtre de Sabratha (à gauche) débute dans les années 1930, alors que seul le mur décoré du pulpitum et la base du front de scène étaient visibles au milieu des débris de colonnes en marbre. Les travaux durent sept ans : le monument restitué est inauguré par Mussolini en personne lors de sa deuxième visite libyenne, en 1937. Le résultat très spectaculaire (voir p. 78-79), enchante toujours autant les visiteurs bien que quelques archéologues aient regretté le traitement de la façade arrière du bâtiment, archéologiquement peu crédible.

fouilles terrestres puis sous-marines du port et de la cité antiques d'Apollonia.

L'archéologie nationale libyenne est organisée dans des conditions difficiles. La priorité de cette époque n'est certes pas la protection du patrimoine : le pays, l'un des plus pauvres de la planète, survit grâce à la récupération des métaux éparpillés sur les champs de bataille. Pourtant, un organe central, le département des Antiquités de Libye, est créé et représenté dans chaque région par un contrôleur des Antiquités, assisté d'inspecteurs en charge de sites ou de musées. Comme le jeune État n'a pas encore formé ses cadres, ce sont des étrangers qui en occupent les postes principaux. Cependant, l'enrichissement rapide du pays grâce à l'exploitation des gisements pétroliers découverts à la fin des années 1950 permet de former de jeunes Libyens aux métiers du patrimoine. Ils suivent les cours dispensés par l'université Garyounis à Benghazi et peuvent aussi compléter leur formation à l'étranger, tout particulièrement en Italie.

L'amphithéâtre avant et après son dégagement : deux vues qui permettent de mesurer l'ampleur des travaux entrepris à Leptis.

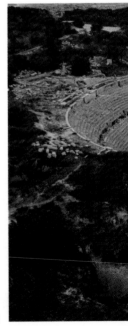

Les missions étrangères : l'Italie

L'excellent travail réalisé avant-guerre conduit les autorités provisoires britanniques puis le jeune État libyen à maintenir en poste certains savants italiens, malgré la défaite de leur pays. C'est ainsi qu'à Leptis Giacomo Caputo poursuit jusqu'en 1951 les dégagements des années 1930. Il conduit également des opérations nouvelles dans le théâtre ou dans le portique décoré de statues d'éléphants, le Chalcidicum qui devait être réservé aux ventes de bêtes sauvages. Après l'indépendance, Ernesto Vergara Caffarelli (suivi par Antonio Di Vita jusqu'en 1964) dégage le temple de Sérapis, le portique du marché et commence la mise au jour de l'amphithéâtre, totalement comblé par les sables. Sandro Stucchi, quant à lui, œuvre jusqu'en 1990 dans les deux provinces, à Leptis (arc de Septime) et à Cyrène (temple de Zeus). Les méthodes de reconstitution ont bien changé depuis les années 1930 : Stucchi use désormais de colles réversibles ou d'agrafes amovibles autorisant à tout moment le rajout de fragments nouvellement mis au jour.

Avec les travaux réalisés depuis près d'un siècle, l'école italienne a durablement marqué le paysage archéologique libyen. L'anastylose permet de saisir un décor en élévation et de comprendre les programmes architecturaux mis en œuvre par les Grecs ou les Romains. Même si cette technique est sujette à caution (lorsque les reconstitutions de certaines parties sont hypothétiques) et moins employée aujourd'hui, il faut néanmoins saluer le savoir-faire architectural des Italiens et surtout leur volonté didactique de rendre proche l'Antiquité.

Le grand arc de Leptis (pages suivantes), érigé sur la voie principale (*decumanus maximus*), peut-être pour célébrer la visite de Septime Sévère dans sa ville natale en 203, a été identifié pour la première fois au moment des fouilles conduites par Renato Bartoccini dans les années 1920. Ses successeurs, et notamment Giacomo Guidi, s'attacheront jusqu'en 1936 à récolter les milliers de fragments dispersés autour du monument (on a estimé à deux mille tonnes le poids des décors de marbre !) afin d'en préparer la restauration. Après la guerre, une anastylose est entreprise sous la direction d'Ernesto Vergara Caffarelli. L'archéologue fait installer sur leurs socles une partie des huit colonnes corinthiennes et déposer au musée de Tripoli la frise dédiée à la famille impériale. Mais c'est à partir de 1970 que les architectes dirigés par le professeur Sandro Stucchi s'attachent à la restitution définitive de l'arc de Septime Sévère. Après trente ans d'un travail complexe et malgré d'inévitables divergences entre spécialistes sur la place exacte du décor sculpté, ils ont accompli l'exploit de restituer le volume initial du monument.

Les Anglo-Saxons

Après la guerre, Britanniques
et Américains sont très
présents en Libye.
Les Anglais réorganisent
le nouveau Department of
Antiquities in Tripolitania
et occupent des postes
de contrôleurs, comme
Richard Goodchild
en Cyrénaïque. L'école
anglo-saxonne use en Libye
des techniques les plus
perfectionnées : l'Américain
Richard Norton
employait déjà la méthode
stratigraphique lors des
fouilles de l'agora en 1910
à Cyrène. Dans les années
1950, les missions
intègrent les technologies
expérimentées au Liban
par le Français Antoine
Poidebard : recherche de

sites par photographie aérienne (découverte
d'Euhespérides à Benghazi), utilisation de
scaphandriers pour les vestiges submergés
(Apollonia, en 1958). Elles s'attellent aussi aux
prospections systématiques et à la documentation
photographique et graphique complète des grands
ensembles. Ainsi, la mission anglaise de Leptis
Magna dresse un plan global des vestiges, réalise
une couverture photographique du complexe
sévérien et prépare la publication des inscriptions
romaines de Tripolitaine. En 1960 et 1961,
la mission de l'université de Pennsylvanie centre
ses recherches sur les niveaux préromains, éclairant
ainsi les origines de la ville. Les archéologues de
l'université de Michigan consacrent trois campagnes
(1965-1967) à l'étude des monuments d'Apollonia.

   Après une éclipse de vingt ans due à un
refroidissement des relations diplomatiques anglo-

Un moment de pause
pour le contrôleur
des Antiquités
de Cyrénaïque,
Richard Goodchild
(le deuxième à gauche),
le directeur des
Antiquités de
Tripolitaine, Nureddin
Shelli (le deuxième à
droite), et leurs équipes
dans le désert de Syrte
en 1963, lors d'une
tournée d'inspection.
Apprécié tant pour
son érudition que pour
ses qualités humaines,
l'Anglais occupe
ce poste jusqu'en 1966,
date de sa disparition
prématurée.

libyennes, les Britanniques ont repris depuis le milieu des années 1980 leurs travaux à Ptolémaïs, à Barca et même à Leptis, où le King's College de Londres étudie l'évolution de l'habitat privé dans la zone du théâtre. Pour des raisons politiques, les Américains ne sont plus invités à fouiller en Libye depuis le début des années 1970.

Les Français en Libye

L'activité archéologique française est inaugurée par Pierre Montet. Contraint de suspendre ses campagnes de fouilles en Égypte, en 1951, le célèbre égyptologue, découvreur du trésor de Tanis, fouilleur de Byblos (Liban), décide de travailler en Libye, en attendant des jours meilleurs : il choisit la région de Ptolémaïs où les nombreux *aegyptiaca* retrouvés « encouragent les archéologues à chercher en Cyrénaïque des antiquités égyptiennes ». Quatre campagnes conduites de 1953 à 1956 à Apollonia permettent des découvertes importantes, mais d'époque romaine. Puis les Français restent absents de Libye pendant plus d'une décennie jusqu'à l'arrivée de René Rebuffat qui, de 1967 à 1978, mène à bien la fouille du fort de Bu Njem (à trois cents kilomètres au sud de Leptis). C'est à François Chamoux que l'on doit le retour des équipes françaises sur le site d'Apollonia, à partir de 1976. Ce grand savant, qui a participé aux recherches menées par Pierre Montet, a compris depuis longtemps l'intérêt que présente l'étude du port de Cyrène pour une analyse de la colonisation grecque. Des campagnes annuelles permettent de terminer la publication des fouilles Montet, après une interruption de vingt ans, en s'acquittant « vis-à-vis

La première expédition sous-marine à caractère scientifique est conduite par l'Anglais Nicolas Flemming de 1957 à 1959. Apollonia fait partie de son programme de recherches car cet archéologue s'intéresse avant tout aux changements des niveaux marins depuis l'Antiquité. Sa méthode simple et efficace – un topographe à terre et des nageurs portant des mires sur les points caractéristiques – permet des relevés rapides : un plan général, qui restera longtemps la seule référence, est dressé en quelques semaines avec les étudiants de l'université de Cambridge.

des responsables de l'archéologie en Libye des engagements scientifiques contractés par nos prédécesseurs ». La mission prospecte aussi l'acropole et les abords de l'agglomération antique, reconnaît l'importance des implantations agricoles des Grecs dans la plaine côtière, étudie avec Yvon Garland l'enceinte hellénistique, magnifique ouvrage de mille deux cents mètres de développement.

À partir de 1981, la direction de la mission est reprise par l'élève de François Chamoux, l'éminent historien de la Cyrénaïque André Laronde. Avec lui, les travaux se poursuivent à Apollonia et sur le plateau cyrénéen, où le tracé de l'ancienne route grecque est retrouvé. Les missions accordées par les autorités libyennes se diversifient : fouille sous-marine d'Apollonia en 1985, étude l'année suivante du port de Leptis Magna, jusqu'alors « fief » italien, prospection sous-marine à Sabratha (1991), puis dans d'autres secteurs côtiers (depuis 2001), restaurations et nettoyages de plusieurs sites, notamment la superbe mise en valeur de la basilique paléochrétienne d'El-Atrun, achevée en 2002.

Les travaux sous-marins d'Apollonia (1985-1998) débutent par des prospections. Renforcée par les chercheurs du département des Recherches en archéologie sous-marine de Marseille, l'équipe française procède à la révision des plans de Flemming, détermine avec précision le coefficient d'enfoncement des terres, étudie une épave romaine coulée dans l'avant-port et surtout propose une évolution topographique du site depuis ses origines grecques du VIe siècle av. J.-C jusqu'à son abandon au VIIe siècle. La fouille est riche en découvertes mobilières : poteries, monnaies, œuvres en bronze, en pierre ou en marbre comme cette statue de Dionysos retrouvée dans les viviers à poissons romains à l'est du site.

L'archéologie libyenne aujourd'hui

Le fait que les chercheurs libyens fassent en partie des études à l'étranger et développent ainsi de nombreux contacts avec des écoles internationales aux approches diverses explique aujourd'hui la richesse méthodologique de l'archéologie nationale. Tout en poursuivant des fouilles classiques comme celles conduites à la villa Silin (à quelques kilomètres à l'ouest de Leptis) ou des restaurations de grands monuments, dont celle particulièrement complexe

de l'amphithéâtre de Leptis Magna menée à bien par le contrôleur des Antiquités Omar Majoub, le Département a pour objectif principal de mieux connaître le passé de l'Islam, délaissé par les fouilleurs de la période coloniale. L'étude du site de Medina Sultan, où se trouve la plus ancienne mosquée de Libye datée du IXᵉ siècle, offre un bon exemple de cette tendance. En parallèle l'équipe pluridisciplinaire des vallées de la Grande Syrte étudie, sous le parrainage de l'UNESCO, les exploitations agricoles implantées dans l'Antiquité en zone aride. Les résultats, très attendus par le pouvoir politique, permettront peut-être qu'une agriculture moderne renaisse dans le pré-désert en s'inspirant de certaines techniques d'irrigation élaborées il y a deux mille ans.

L'équipe franco-libyenne d'André Laronde procède à la mise en place d'un élément du chancel (clôture de pierre séparant le chœur liturgique du reste de l'édifice) dans la basilique d'El-Atrun. Ces travaux pratiques permettent à de jeunes étudiants de l'université Garyounis de se familiariser avec le relevé architectural et l'anastylose dans le respect des nouvelles pratiques en matière de remontage.

Des musées rénovés mais des sites menacés

Malgré leur charme désuet, les musées de l'époque coloniale ne pouvaient satisfaire ni aux conditions de conservation et de sécurité, ni au souhait d'information didactique d'un public chaque jour plus nombreux. Le département des Antiquités a donc programmé la refonte complète du Musée national de Tripoli, abrité depuis les années 1920 dans le Château (Assaray al-Amra). Inauguré en 1988 par le colonel Muammar al-Kadhafi, le musée déploie sur quatre niveaux des collections évoquant l'histoire de la Libye, des origines jusqu'à la période contemporaine. Quelques années plus tard, le musée de Leptis

Magna s'installe dans un bâtiment neuf à l'entrée du site, et présente des œuvres jusque-là inaccessibles aux visiteurs. L'administration libyenne travaille aujourd'hui à la création du musée de Cyrène dont

les somptueuses collections sont protégées dans des réserves aménagées.

En revanche, la conservation des sites pose de graves problèmes, notamment à Sabratha, en raison de la piètre qualité du calcaire local utilisé pour la construction des édifices. Dans l'Antiquité les murs enduits et les colonnes stuquées opposaient une bonne résistance à l'érosion éolienne et aux embruns chargés de sel, mais aujourd'hui la pierre à nu et les sols de mosaïque proches de la plage sont rongés irrémédiablement. Les tentatives mises en œuvre il y a vingt ans (enrobage de certains murs par des ciments modernes) ayant montré leurs limites, une réflexion est menée au niveau international,

Le Musée national de Tripoli rassemble en une synthèse réussie des collections provenant de toutes les régions de la Libye. Ce bâtiment est aussi le siège du département des Antiquités, qui fédère la protection des biens culturels et traite des questions relatives à l'archéologie, aux musées, aux monuments historiques, à l'inventaire, aux bibliothèques. Il édite aussi la revue *Libya antiqua* (à gauche), dont les articles rédigés en arabe, anglais, italien et français rendent compte de l'actualité archéologique et des résultats de fouilles.

sans grand résultat jusqu'à présent. À Leptis, la zone portuaire est menacée par les divagations du wadi Lebda lors des crues : on envisage de le détourner, comme dans l'Antiquité. En Cyrénaïque, à Apollonia, le port en partie submergé voit ses vestiges littoraux fondre après chaque tempête hivernale, sans que rien ne puisse être tenté pour l'instant. Enfin, le vandalisme et les vols, inconnus jusqu'à l'afflux touristique de ces dernières années, obligent les conservateurs à déposer en réserve les statues qui conféraient un charme si romantique aux vestiges de Cyrène.

Hier pillées de leurs plus beaux marbres, aujourd'hui menacées par l'érosion et le vandalisme, les cités libyennes antiques comptent néanmoins parmi les sites les mieux conservés de l'Afrique gréco-romaine – elles figurent à ce titre sur la liste du Patrimoine mondial de l'humanité établie par l'Unesco.

La villa Silin (ci-dessous), découverte en 1971 puis fouillée et mise en valeur par le département des Antiquités, fait partie de cette dizaine de maisons de campagne somptueuses ou de villas maritimes de luxe retrouvées autour de Leptis Magna. Le plan de Silin est largement ouvert sur la mer grâce à un jardin qu'enserre un péristyle mosaïqué ; ce couloir distribue une série de pièces de réception, dont une vaste salle de banquet, des chambres ou des salles de repos.

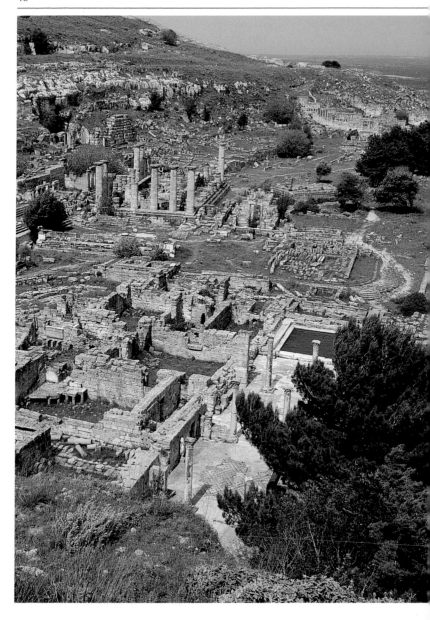

La Libye antique comprend deux régions à la personnalité historique et géographique bien affirmée : la Cyrénaïque où les Grecs organisent une colonie puissante et la Tripolitaine, mille kilomètres à l'ouest, avec ses comptoirs commerciaux fondés par Carthage la Punique. Le golfe de la Grande Syrte qui marque la frontière entre les deux puissances est, malgré ses côtes inhospitalières et ses étendues désertiques, un enjeu stratégique majeur.

CHAPITRE 2

DES ORIGINES JUSQU'À ROME

Avec sa forte densité de temples, de bâtiments votifs et d'édifices richement parés, le sanctuaire d'Apollon à Cyrène (à gauche) a livré le plus grand nombre d'œuvres de qualité pour les périodes grecque et romaine. Cette tête de guerrier coiffé de son casque à mailles, en marbre de Paros, est un extraordinaire exemple du raffinement de la sculpture archaïque du VIe siècle av. J.-C.

Le géographe grec Strabon donne une image saisissante de l'Afrique du Nord, en la comparant à une peau de léopard : de vastes étendues de déserts ocre qu'animent les taches d'une occupation humaine éparse. Cette peinture, qui fait presque sens encore aujourd'hui, était on ne peut mieux adaptée à la Libye antique. À l'est la Cyrénaïque, espace de terres riches habitées dès l'époque néolithique ; loin vers l'ouest une autre zone fertile, la plaine de la Gefara, occupée par la tribu des Maques ; quelques oasis vers le sud ; quelques peuples nomades aux mœurs étranges ; voilà pour les « taches ». La peau du léopard est faite, partout ailleurs, d'interminables plaines côtières à graminées, de sebkhas blanches de sel, de sérirs de pierre, d'ergs aux dunes brûlantes, tous ces déserts dont les textes antiques, d'Hérodote à Lucain, rendent un tableau affreux.

L'origine du nom Libye vient de la tribu nomade des Lebou, dont les sources égyptiennes nous apprennent qu'elle vivait dans la région de l'actuelle

Tobrouk au début du Ier millénaire av. J.-C. D'abord
circonscrit à la seule Marmarique, le mot va, de
manière ambiguë, désigner une zone beaucoup plus
large. Pour les Grecs, le toponyme Libye s'applique
à l'ensemble du continent africain ; plus tard les
Romains en useront pour qualifier l'Afrique du Nord,
depuis le Nil jusqu'au Maroc.

Le pays où le ciel est troué

Fréquentée épisodiquement par les populations
égéennes, la Cyrénaïque devient terre grecque
au VIIe siècle av. J.-C. Un texte d'Hérodote, mêlant
légendes et faits réels, relate la fondation de cette
colonie. Deux cents jeunes hommes de Théra
(Santorin), poussés par la famine, entreprennent
un voyage vers la Libye sur les conseils d'Apollon.
Le site de débarquement désolé, sans eau, ne
permettant pas une installation durable, ils s'en

Dès le XVe siècle
av. J.-C., les fresques
de Santorin (en bas,
à gauche) dépeignent
les Théréens parcourant
la Méditerranée
à la voile et à la rame.
Huit siècles plus tard,
répondant à la double
injonction de l'oracle
apollonien délivré
par la Pythie à Delphes
(en haut), les marins
de Battos abordent
la Cyrénaïque aux
somptueux paysages :
une aride plaine côtière
ménageant quelques
abris pour les navires
est dominée par
la pente abrupte
de deux gradins percés
de nombreux wadis.

retournent pour se plaindre, mais leur chef Battos doit essuyer les sarcasmes du dieu. Dépités, ils repartent alors vers la Libye pour s'installer dans un lieu plus hospitalier, où ils restent plusieurs années. La tribu voisine des Giligames, constatant leur prospérité grandissante et soucieuse d'éloigner ces gêneurs, propose avec diplomatie de leur indiquer un endroit encore plus favorable, dont les terres sont riches et les pluies si abondantes que « le ciel est percé ». C'est ainsi, près de la source dont le nom d'origine libyenne, *kura*, signifie « le lieu des asphodèles », que Cyrène est fondée vers 630 av. J.-C. À vingt-cinq kilomètres sur la côte, une anse naturelle (la future Apollonia), bien vite équipée de plans inclinés pour l'hivernage des navires, reliera la cité naissante au reste de la Méditerranée.

Une rapide expansion

Les excellentes conditions permettent à la colonie de connaître un essor immédiat, car la tribu locale des Asbystes n'est pas opposée à cette implantation (du moins à ses débuts) et les terres se révèlent d'une exceptionnelle fertilité. La nouvelle fondation, vite autonome économiquement et politiquement, n'abandonne pas pour autant ses liens avec la Grèce :

Une espèce sauvage, le silphion, est à l'origine de la prospérité de Cyrène. Plante médicinale aux vertus extraordinaires, condiment délicat, cette ombellifère est exportée à prix d'or. Son commerce est un privilège royal – ci-dessus, Arcésilas assiste sur son trône à la pesée des ballots de silphion – et son importance telle que cette plante constitue l'emblème des monnaies de la cité.

Cyrène attire d'autres jeunes gens entreprenants venus de Théra et plus tard de Rhodes et du Péloponnèse. L'aristocratie locale y exporte ses productions agricoles et en importe les objets de luxe, les céramiques fines ou le marbre dont les monuments sont très tôt parés. Les relations sont aussi culturelles, religieuses et sportives, les Cyrénéens se distinguant aux Jeux olympiques par de nombreuses victoires.

Très vite, des villes nouvelles témoignent des progrès réalisés dans la mise en valeur du plateau, de plus en plus loin de Cyrène : Taucheira qui deviendra Arsinoé (aujourd'hui Tokra), Barca, abandonnée plus tard au profit de son port Ptolémaïs, et la dernière fondation, Euhespérides, qui deviendra Bérénikè (aujourd'hui Benghazi). Cette expansion territoriale va changer l'attitude amicale des tribus. Les populations locales, repoussées un peu plus chaque jour vers l'intérieur des terres, en zone moins fertile, vont chercher secours auprès du pharaon Apriès, sans succès.

Au fil du temps, une relative stabilité s'installe. « Une bonne partie du haut plateau restait aux mains des tribus libyennes fidèles au vieux système agro-pastoral des nomades. Un équilibre s'établissait entre ces deux composantes qui reposait sur une complémentarité : les Libyens fournissaient aux Cyrénéens les produits de l'élevage chevalin et bovin, et aussi le fameux silphion… En retour les Cyrénéens vendaient aux Libyens les produits fabriqués qui leur étaient nécessaires » (André Laronde). On ne connaît pas grand-chose sur ces peuples qui n'ont pas laissé de traces écrites ; seul le sanctuaire rupestre de Slonta, dont la date est controversée, évoque les énigmatiques croyances autochtones.

La richesse de Cyrène

La Cyrénaïque est avant tout riche de ses productions agricoles. Les céréales précoces, qui font prime sur les marchés, sont particulièrement prisées, de même que ses chevaux, fameux dans tout le monde

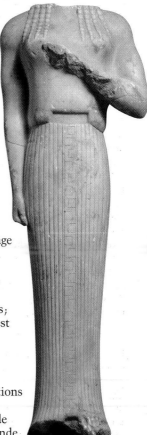

Cette *korè* (statue de jeune fille), datée du milieu du VIe siècle av. J.-C., a été découverte avec cinq autres sculptures archaïques dans une carrière de Cyrène : il pourrait s'agir d'un dépôt sacré pieusement constitué après les exactions perses de 525 av. J.-C.

antique. Mais c'est surtout le silphion qui est en grande partie à l'origine de sa prospérité.

Cette opulence est visible à travers l'architecture dès l'origine : à la fin du Ve siècle av. J.-C. le temple consacré à Zeus est plus grand que celui d'Olympie ! Au IVe siècle l'activité édilitaire prend une ampleur dont on a peu d'exemples ailleurs : le luxe des matériaux importés (seul le marbre le plus fin est utilisé), la qualité des ateliers de sculpteurs, la rapidité des réalisations entreprises pour rénover le vieux sanctuaire d'Apollon ou l'agora sont significatifs de ressources accrues.

À l'époque hellénistique, les murailles de la ville englobent une superficie de sept cent cinquante hectares de terrains libres et de constructions, pour une population estimée à cent mille habitants. Hors les murs, la nécropole de Cyrène, l'une des mieux conservées du monde antique, compte près de mille cinq cents tombes monumentales et des milliers de sépultures individuelles. Organisée à l'image d'une ville avec ses rues et ses places, elle comporte des hypogées décorés de fresques, aux façades dignes de palais, des enclos abritant des sarcophages, des tombeaux circulaires ou rectangulaires figurant de petits temples. À la fin du IVe siècle av. J.-C., Cyrène ravitaille les cités grecques durant la campagne d'Alexandre. Épargnée par le conquérant, elle conserve son indépendance.

Au pied du sanctuaire d'Apollon, la nécropole nord (ci-dessous) s'étend dans plusieurs vallons escarpés. Les tombes les plus riches sont ornées de peintures murales ou de stucs et parfois surmontées d'étranges statues funéraires. Ces figures féminines (à droite), sans visage pour les plus anciennes, se comptent par milliers et ne se trouvent qu'en Cyrénaïque. Certains y voient l'image de Perséphone, déesse infernale sortant du sol en se voilant la face pour marquer l'alternance des saisons mais aussi le cycle de la vie et de la mort.

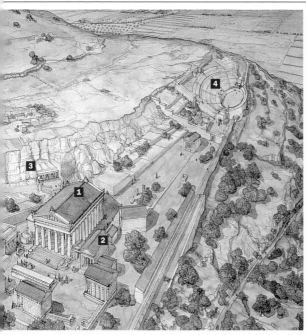

Le sanctuaire d'Apollon est construit sur une terrasse naturelle, au pied de falaises calcaires. Occupant la place centrale, le grand temple du dieu (**1**) est sans doute le plus ancien édifice cultuel de la cité : autour se pressent des temples plus petits dédiés à Artémis (**2**) ou à d'autres divinités. Au-dessus, des grottes abritent les salles de banquet (**3**) liées à la source sacrée. Le reste de l'espace accueille des fontaines, des autels à sacrifices ou des monuments votifs. Le théâtre (**4**) est logé à l'extrémité de la terrasse, derrière un mur protégeant le sanctuaire de la rumeur des spectacles.

Mais affaiblie par des querelles intestines, des combats contre les exilés politiques puis contre le mercenaire spartiate Thibron, la cité fait appel à Ptolémée (306-285 av. J.-C.). Ce général qui a reçu l'Égypte lors du partage de l'empire d'Alexandre – il y fonde la dynastie des Lagides – contrôle le pays dès 321, puis en réorganise les institutions. Cyrène est désormais aux mains des Lagides. L'embellissement de la cité reprend au cours du IIe siècle av. J.-C. : les portiques, l'autel complétant l'agora et le Ptolémaïon, imposant gymnase dédié à la gloire de Ptolémée VIII, (145-116 av. J.-C.) en témoignent.

L'agora de Cyrène est une vaste esplanade installée sur le plateau, au-dessus de la terrasse du sanctuaire d'Apollon. Les premiers aménagements de cet espace public apparaissent dès le VIᵉ siècle av. J.-C., mais le site ne va cesser d'être embelli et agrandi au fil du temps. Parmi d'autres édifices, les habitants y trouvaient des galeries formant promenoirs, les archives publiques de la cité, des boutiques, quelques monuments honorifiques, mais aussi des lieux de culte, comme le temple d'Apollon (daté du IVᵉ siècle av. J.-C.) ou le capitole d'époque romaine. Au centre de la place, deux autels monumentaux permettaient de sacrifier et de rôtir les animaux que l'on destinait aux dieux. Le monument rond (ci-contre) découvert un peu plus à l'ouest a été longtemps identifié comme la tombe de Battos, le fondateur de la cité, car un texte de Pindare situait cette sépulture sur l'agora. Mais certains aménagements spécifiques (canaux d'évacuation, vasques...) en feraient plus justement un sanctuaire dédié à Déméter et à sa fille, Coré, dont les statues ornent encore l'intérieur.

« La sculpture cyrénéenne apparaît comme singulièrement riche et attachante […]. Dès l'origine, la grande cité africaine a participé activement au mouvement des arts dans le monde hellénique. » Ces lignes de François Chamoux soulignent la qualité des pièces découvertes à Cyrène et les liens qui l'unissaient à la Grèce. Du VIᵉ siècle av. J.-C. au début de la période romaine, les sculptures, travaillées sur place ou importées, proviennent des meilleurs ateliers, comme cette sphinge de type naxien du VIᵉ siècle av. J.-C., ce relief au quadrige en course ou cet hoplite de style attique du IVᵉ siècle av. J.-C.

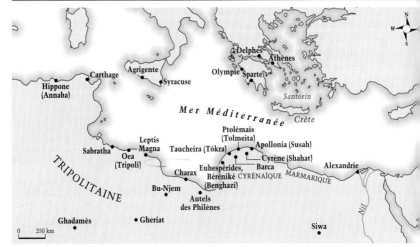

Entre deux mondes

Aux marges de la Cyrénaïque se trouve une terre désolée, que Salluste décrit ainsi : « une plaine sablonneuse uniforme, sans fleuve ni montagne qui pût servir de limite ». Ce golfe de la Grande Syrte, situé entre le monde d'influence grecque et la région contrôlée par Carthage la Punique, sert de zone tampon. Les échanges sont en général pacifiques : Strabon fait état d'un commerce à Charax (l'actuelle Medina Sultan), où le silphion de contrebande est échangé contre du vin carthaginois. L'archéologie confirme ces contacts par la découverte de céramiques ou de monnaies.

Au IVᵉ siècle av. J.-C., les rapports deviennent conflictuels, chaque groupe cherchant à contrôler le golfe. Ces étendues redoutées pour leurs vents brûlants et leurs reptiles présentent en effet un avantage stratégique majeur pour le commerce avec l'Afrique centrale, en raison de plusieurs pistes caravanières qui y aboutissent. Une légende transmise par Hérodote fait écho de ce conflit entre Grecs et Carthaginois : afin de faire cesser les combats, un concours est lancé dont l'enjeu est l'établissement d'une frontière. Deux coureurs partiront de Carthage, deux autres de Cyrène,

Dès le début de la colonisation, la Cyrénaïque, la Crète et la Grèce constituent un ensemble géographique, commercial et culturel cohérent : même langue, mêmes dieux, mêmes peuples. À l'opposé, le monde punique, auquel appartiennent les trois comptoirs de Sabratha, Oea et Leptis, gravite autour de Carthage. La grande cité va donner aux *emporia*, pour longtemps, sa langue, ses dieux et ses institutions. Entre les deux mondes se trouve Charax, point de contact perdu au milieu du désert de Syrte, mais où aboutit une importante route caravanière.

le même jour ; la frontière sera tracée au point de leur rencontre. Les champions puniques, les frères Philènes, surclassent tant les Grecs (près de huit cents kilomètres !) qu'on les soupçonne d'avoir triché. Pour prouver leur bonne foi, ils acceptent d'être enterrés sur place. Épilogue héroïque, sans doute inventé afin de minimiser des revers militaires ou une négociation mal conduite par les Grecs : la frontière sera effectivement établie beaucoup plus près de Cyrène que de Carthage. Bien des siècles plus tard, un monument romain d'époque tardive composé de quatre colonnes milliaires sommées de statues symbolisera la délimitation officielle entre Tripolitaine et Cyrénaïque.

Les trois villes

Les origines anciennes des cités de la Tripolitaine (étymologiquement la « région des trois villes ») sont assez mal connues. Si l'on en croit le poète Silius Italicus, des colons phéniciens venus de Tyr sont à l'origine de Leptis Magna et de Sabratha. Oea (aujourd'hui Tripoli) est pour sa part fondée par des Phéniciens de Sicile. Les découvertes archéologiques ne permettent pas de remonter à un passé aussi lointain, et de nombreux chercheurs pensent que ces fondations interviennent plus vraisemblablement entre les VIe (Leptis) et IVe siècles av. J.-C. (Sabratha). Il s'agirait d'établissements saisonniers, puis de comptoirs fixes (*emporia*) liés à un projet commercial global mis en œuvre par Carthage : la grande puissance maritime aurait trouvé là des ports drainant les produits du cœur de l'Afrique, bêtes sauvages, ivoire, or, pierres précieuses, fourrures, et peut-être esclaves. Cette spécialisation perdure

Les dieux de Carthage (ci-dessous, sans doute Baal Hammon) sont honorés dans les *emporia*. La question des sacrifices qui leur étaient rendus divise les historiens, car des centaines d'urnes contenant des ossements ont été retrouvées dans tout le monde punique. Certains spécialistes pensent que des enfants vivants ou mort-nés étaient sacrifiés, d'autres qu'on leur substituait parfois de petits animaux au dernier moment… Cette pratique des sacrifices, que les Romains réprouvaient comme le montrent les sources littéraires, disparaît vers la fin du Ier siècle.

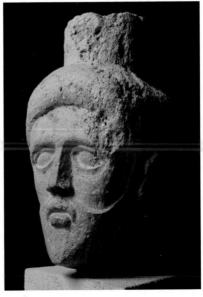

tout au long de l'histoire des comptoirs. Leur développement semble être assez lent, en raison de la sujétion à Carthage (qui conserve le monopole de l'import-export) et des exigences de la capitale punique : contributions diverses, fournitures spéciales en temps de guerre, interdiction de créer une armée ou une marine et surtout l'impôt très lourd d'un talent par jour, soit le salaire de deux mille cinq cents ouvriers.

Contrairement à Cyrène où abondent les vestiges archéologiques préromains, rares sont les témoignages des premiers siècles pour les « trois villes ». Quelques sondages américains ou italiens à Leptis donnent l'image d'un urbanisme anarchique, d'une parure monumentale modeste jusqu'à l'apparition, au début du Iᵉʳ siècle av. J.-C., d'un quadrillage régulier dans la zone du forum. À Sabratha, les fouilles britanniques et italiennes donnent une vision un peu plus précise de l'agglomération ordonnée autour d'une petite rade. La ville du IIᵉ siècle av. J.-C. est déjà importante avec un noyau central de plusieurs hectares et une nécropole aux riches mausolées punico-hellénistiques.

Les tombes puniques pouvaient comporter de simples offrandes (amphorettes, vases, gobelets, ci-dessous) ou des stèles décorées du signe de Tanit (à gauche). Ce motif, omniprésent à partir du IVᵉ siècle av. J.-C., figure une femme stylisée priant debout, bras et mains écartés. Les tombes les plus riches sont souvent en forme d'aiguille et peuvent présenter, comme celle de Sabratha (à droite), le décor symbolique du dieu Bès, « chasseur de lions », entouré de félins.

Les fouilleurs y ont aussi mis au jour de modestes stèles funéraires représentant le signe de Tanit dans un *tophet*, enclos sacré où l'on rendait des sacrifices à cette déesse et à son époux, Baal Hammon, couple divin des Carthaginois.

La Tripolitaine entre dans l'orbite de Rome

Dès avant la chute de Carthage, en 146 av. J.-C., les trois villes de Tripolitaine ont l'habileté de se rallier à Massinissa (203-148 av. J.-C.), roi de Numidie (le Constantinois actuel), et nouveau maître du pays de par la volonté de Rome. Son fils Micipsa (?-118 av. J.-C.) assure leur prospérité aux comptoirs en allégeant les contraintes qu'ils subissaient. Le tribut à payer est égal à celui versé précédemment à Carthage, mais les cités sont autorisées à commercer et à se gouverner selon leurs lois et coutumes propres. Sabratha connaît une première expansion : un plan inspiré des règles de l'urbanisme grec voit le jour avec ses quartiers régulièrement organisés en îlots, ses temples dédiés aux grands dieux originaires d'Alexandrie, Sérapis et Isis, protectrice des marins. Leptis connaît le même schéma, amplifié dès qu'elle devient cité libre ; on ne sait rien en revanche d'Oea, la moderne Tripoli interdisant la lecture de son ancien plan.

Les trois villes s'intègrent peu à peu dans l'orbite romaine. Leptis, mais aussi sans doute Oea et Sabratha, signent un traité d'alliance et d'amitié avec Rome, ce qui leur permettra de demander l'aide des troupes de Marius en 106 av. J.-C. lors de son intervention contre Jugurtha, un des deux successeurs de Micipsa : les Romains débarquent pour la première fois en Tripolitaine dont le destin vient de basculer.

Au moment des guerres civiles qui déchirent les partisans de César et ceux de Pompée, en lutte pour le pouvoir suprême, les Lepcitains épousent la cause de Pompée en s'associant à son allié le roi numide Juba Ier (85-46 av. J.-C.). Ce faux pas est sévèrement puni par César : vainqueur, le général

C'est sans doute pour commémorer la victoire de la flotte césarienne sur Juba Ier et Pompée en 46 av. J.-C. que l'armée romaine a érigé sur le forum d'Hippone (Algérie) cet extraordinaire trophée d'armes en bronze représentant une cuirasse.

ôte à Leptis sa liberté et lui inflige un *stipendium* annuel (une amende) de trois millions de livres d'huile d'olive. Certains historiens pensent qu'Oea et Sabratha connurent le même sort et que le tribut concernait en fait les trois villes, la quantité à fournir étant trop importante pour une seule cité. Poursuivant son œuvre administrative, César organise la conquête : le royaume numide de Juba devient, en 46 av. J.-C., l'*Africa Nova* (province d'Afrique nouvelle), l'ancienne étant désormais désignée par le nom d'*Africa Vetus*, l'Afrique vieille.

Le mythe grec de la nymphe Cyrène, qui séduisit Apollon par sa capacité à étouffer les lions dans ses bras, est parfois associé, dans la littérature comme dans l'iconographie, à celui de la déesse Libye, petite-fille de Zeus et de Io, mère des héros phéniciens et égyptien Agénor et Bélos. Sur ce relief romain d'époque antonine (138-161), Libye aux boucles torsadées couronne Cyrène triomphante sous la vigne, symbole de la fertilité du pays.

La Cyrénaïque, province gréco-romaine

À l'autre bout du pays, la Cyrénaïque reste liée à l'Égypte jusqu'au règne de Ptolémée Apion. Le souverain lagide cède par testament ses droits sur le pays aux Romains en 96 av. J.-C. Vingt ans plus tard, le Sénat envoie Marcellinus, le premier magistrat représentant officiel de Rome. En 74 av. J.-C., la Cyrénaïque grecque devient à son tour province romaine.

En 67 av. J.-C., Cyrénaïque et Crète sont réunies sous un même commandement, afin de lutter contre les pirates. Cette mesure, dictée par un souci d'efficacité (disposer d'un commandement unique au cœur de la Méditerranée), traduit aussi une réalité culturelle et géographique, la Cyrénaïque étant plus proche de la Crète que d'Oea ou d'Alexandrie.

Sous l'administration romaine, les provinces de Tripolitaine et de Cyrénaïque vont connaître des bouleversements durables. Alors que les cités de Cyrénaïque conservent en partie leur physionomie grecque, un nouvel urbanisme efface la plupart des vieux centres puniques dès avant l'époque d'Auguste. Cette tendance s'accentue au IIIe siècle, sous le règne de Septime Sévère : originaire de Leptis Magna, l'empereur embellit cette ville et la transforme en Rome des sables.

CHAPITRE 3

LA LIBYE SOUS L'EMPIRE ROMAIN

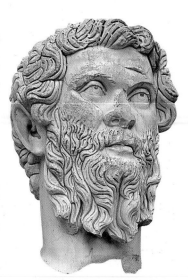

Une longue inscription qui court sur l'entablement de la basilique de Leptis Magna (à gauche, l'une des entrées monumentales) précise que le complexe qu'elle forme avec le forum a été entrepris par Septime Sévère (à droite) à partir de 209-210 et terminé en 216 par son fils Caracalla.

En 31 av. J.-C., la victoire d'Octave sur Antoine et Cléopâtre à la bataille d'Actium et l'annexion de l'Égypte marquent l'unification du monde méditerranéen romain. Octave, qui a reçu du Sénat le titre d'Auguste, contrôle les frontières et organise l'administration des provinces de l'Empire (proclamé en 27 av. J.-C.). En Libye, le cadre administratif est entériné : à l'ouest, la Tripolitaine appartient à la province d'Afrique nouvelle ; à l'est, Cyrénaïque et Crète restent liées sous l'autorité d'un proconsul. Seules les tribus Garamantes, dont les territoires s'étendent dans l'actuel Fezzan, ne seront soumises qu'épisodiquement.

Le commerce saharien

Dès le début de l'Empire, la maîtrise des routes caravanières semble devenir un enjeu stratégique majeur : les inépuisables ressources tropicales, l'approvisionnement en bêtes sauvages génèrent des bénéfices tels que l'économie de plusieurs villes comme Sabratha en dépend. Des campagnes efficaces contre les Garamantes ont, depuis les incursions conduites par Cornelius Balbus en 21-20 av. J.-C., fourni une assise aux Romains. Quelques détachements de légionnaires semblent ainsi avoir atteint l'Afrique noire, comme celui de Julius Maternus qui, sous le règne de Domitien (81-96), ramène à Rome un rhinocéros. À la même époque, une expédition punitive manque de tourner au désastre en plein désert. La tribu des Nasamons, excédée par les taxes auxquelles elle est soumise, assassine les agents du fisc et défait les troupes du légat Flaccus envoyées en représailles. Mais au lieu de poursuivre les légionnaires en fuite, les Nasamons occupent le camp romain et pillent ses réserves de nourriture et de vin. Avec ses soldats encore vaillants, Flaccus tourne bride et massacre les Nasamons ivres et endormis.

Le riche territoire de Leptis Magna s'étendait tout le long du littoral de la cité, mais aussi en direction des zones steppiques de l'arrière-pays. Ce milliaire (borne mesurant les distances en milles) découvert à proximité de l'arc de Septime Sévère indique que sous l'empereur Tibère, en 17 ap. J.-C., cette frange agricole mesurait au moins 44 milles, soit près de 70 kilomètres. Il marquait en outre le départ « vers l'intérieur des terres », mystérieux pays des tribus nomades, en général peu favorables à la pénétration romaine.

Un nouvel urbanisme

Grâce à la maîtrise du commerce saharien, à la liberté retrouvée des échanges maritimes, à l'opulence agricole, les provinces d'Afrique sont parmi les plus riches de l'Empire. La Cyrénaïque semble connaître une situation calme, appuyée sur une bonne assise économique grâce à ses ressources agricoles. Elle participe globalement au mouvement de prospérité que connaît le monde romain.

Dans cette période féconde, l'urbanisme évolue rapidement, avec pourtant une nette différence entre Cyrénaïque et Tripolitaine. Dans la Pentapole (nom qui désigne à partir du haut Empire la région des cinq villes importantes de Cyrénaïque : Cyrène, Apollonia, Ptolémaïs, Barca et Taucheira), l'activité édilitaire est importante, mais les cités conservent une bonne part de leur physionomie antérieure. À Ptolémaïs, c'est à l'époque d'Auguste que la vieille agora hellénistique est dotée d'un nouveau portique : l'emplacement initial est respecté de même que le style dorique, seules les proportions changent. Cette continuité se retrouve aussi dans l'architecture privée avec le bel exemple du « palais

Sabratha tire une bonne part de sa richesse de l'exportation des animaux sauvages pour les jeux du cirque. C'est donc un éléphant qu'a choisi la cité pour orner le sol de son antenne commerciale d'Ostie. La « consommation » d'animaux sauvages dans les amphithéâtres paraît aujourd'hui effarante : l'inauguration du Colisée entraîne le massacre de cinq mille fauves en une seule après-midi. Sous le règne de Trajan, onze mille bêtes sont égorgées en cent vingt jours de jeux, un record. À ce rythme, la faune, pourchassée, régresse rapidement dans toute l'Afrique du Nord : dès le IVe siècle, l'éléphant y a disparu et le lion de Libye est en voie d'extinction.

aux colonnes », luxueuse résidence d'un haut
fonctionnaire du IIe siècle av. J.-C. À l'époque
romaine, la structure générale soigneusement
maintenue est simplement augmentée d'une
deuxième salle de réception, de thermes
fonctionnels et de boutiques de rapport.

Le phénomène est encore plus sensible à Cyrène,
où l'architecture, qui reproduit les plans et les décors
des édifices antérieurs, traduit le souhait de retrouver
les origines mêmes de la cité. Dès le règne d'Auguste,
plusieurs bâtiments du sanctuaire d'Apollon sont
rénovés : fortement remanié, le temple du dieu
(l'Apollonion) conserve son aspect et ses proportions
du IVe siècle av. J.-C. Les restaurations se poursuivent
sous Tibère (14-37), avec le temple de Zeus.
Les nouvelles constructions, nombreuses sous
le règne d'Hadrien (117-138), manifestent la volonté
de respecter les dieux de la Grèce. Cette attitude est
à double sens : « Non seulement la cité ne désertait
pas ses cultes traditionnels, mais il apparaît
nettement qu'en les protégeant elle eut le souci
d'y associer constamment le Prince et sa famille,

Après les destructions
causées par la révolte
des Juifs, en 115-116,
le gymnase de
Ptolémée VIII
(ci-dessus), déjà
transformé en forum
au début du haut
Empire, est en partie
restructuré en 120.
Le temple de Zeus
(ci-contre, à droite),
qui n'avait pas échappé
à la colère des Juifs
(en haut, à droite,
la tête de la copie
augustéenne du Zeus
de Phidias, abattu
par les mutins), est
également restauré.
Le portique extérieur
est supprimé tandis
que l'on installe une
monumentale statue
du dieu de 12 mètres
de hauteur.

attirant ainsi l'intervention bienveillante de l'autorité romaine » (André Laronde).

L'esprit est bien différent en Tripolitaine : dès le IIe siècle av. J.-C., les vieux centres puniques sont gommés par l'implantation de rigoureux quadrillages. La transformation est telle que le réseau viaire antérieur, les habitations ou les lieux de culte sont aujourd'hui à peine visibles dans les fouilles profondes de Sabratha ou de Leptis. Sur ce terrain déjà organisé, les responsables des grandes mutations urbaines du Ier siècle vont pouvoir lancer des programmes ambitieux : les équipements publics y trouvent une place de choix et l'aristocratie punique, l'occasion de prouver sa « romanité » toute neuve.

La romanisation d'une société

Si, à l'époque de Juba Ier (85-46 av. J.-C.), quelques familles traditionalistes de Tripolitaine pouvaient encore rêver d'un État libyco-punique indépendant,

dès la fin des guerres civiles et l'avènement de l'Empire, le nouvel ordre romain s'impose à elles. L'intégration de cette classe dominante d'origine punique, son souhait de montrer son adhésion à l'idéologie romaine sont significatifs d'un nouvel état d'esprit.

Il se manifeste d'une manière éclatante dans le programme architectural et iconographique mis en œuvre par certains des membres les plus nantis de cette aristocratie : tous les éléments en sont subtilement maîtrisés afin de lier le pouvoir impérial à la tradition locale.

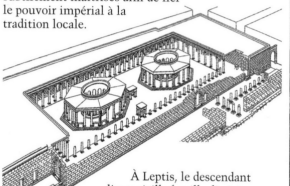

À Leptis, le descendant d'une vieille famille d'origine phénicienne, Annobal (ou Hannibal) Tapapius Rufus, illustre bien ce phénomène d'acculturation tempéré par le constant rappel des origines. Assumant les plus hautes charges administratives et cultuelles, Rufus offre en premier lieu à ses concitoyens un marché, achevé en l'an 8 av. J.-C. Le type architectural choisi, avec ses halles circulaires, est significativement d'origine italienne ; en outre, l'inscription sur la façade est bilingue, latin et néo-punique, compris par le peuple. Le texte mêle le nom de Rufus, celui de l'empereur et la mention des prêtres de son culte.

Quelques années plus tard, Annobal Rufus, dont la fortune devait être immense, inaugure en 1-2 ap. J.-C. le somptueux théâtre offert aux habitants de Leptis. Fidèle à ses principes de communication, il fait installer aux endroits les plus visibles trois inscriptions à la gloire de l'empereur (il lui dédie le bâtiment) et à la sienne. Le texte bilingue emploie

Le marché de Leptis (à gauche, dessin de sa reconstitution) offre de nombreuses commodités : galeries abritées, citernes remplies d'eau à proximité, tables de conversions ou de vérifications. Les comptoirs des deux rotondes semblent avoir été réservés d'un côté aux étoffes et aux marchandises « propres », de l'autre aux denrées périssables. Les étals des portiques devaient être regroupés par spécialités, tels ceux du marché aux poissons, décorés de dauphins.

à dessein des formules typiquement carthaginoises : la décoration officielle d'« ornateur de sa patrie » et le titre de sufète, magistrat du rang le plus élevé dans les cités puniques. Deux mains liées et le qualificatif, venu aussi du punique, d'« amateur de la Concorde » soulignent ses efforts pour apaiser le parti de ceux qui ne souhaitaient toujours pas entrer dans le monde romain.

Pour éviter les fraudes, des étalons, gravés puis vérifiés par l'administration, indiquent les mesures justes : ci-dessous, une coudée punique, un pied romain, une coudée alexandrine et leurs subdivisions.

Un message universel

D'autres riches Lepcitains laissent la marque de leur évergétisme (générosité publique) : Iddibal Caphada Aemilius érige en 11-12 un marché appelé Chalcidicum en l'honneur de la Vénus de Chalcidique ; une aristocrate fait construire en 35-36 un temple à Cérès dans le théâtre. Ces éléments de bien-être offerts par les notables de la vieille élite permettent à toute une société

de se sentir partie prenante d'une prospérité générale, sans pour autant que soient reniés la culture ou les dieux puniques. L'iconographie développée par Caïus Calpurnius Celsus sur l'arc de Marc Aurèle (161-180) est significative de cette attitude. Ce puissant personnage fait édifier un arc tétrapyle (à quatre ouvertures) d'un luxe inouï : le marbre grec y est employé massivement. Des bas-reliefs célèbrent le succès universel des armes romaines, tandis que des captifs figurent les vaincus, les passéistes qui refusent de collaborer à ce mouvement irrésistible. Par un syncrétisme subtil, les figures de Minerve-Apollon et celle du vieux couple phénicien Tanit-Baal, protecteur de la cité d'Oea, sont mêlées : on ne peut mieux signifier le loyalisme des populations locales qui, jusque dans la participation de leurs dieux, souhaitent le triomphe de Rome.

Pendant les dix-huit années du principat de Septime Sévère, de gigantesques travaux modifient la physionomie de Leptis, jusque-là rythmée par les monuments du vieux forum (1), par le théâtre (2) ou les thermes d'Hadrien (3). Le nouveau schéma urbain débute par le détournement du wadi Lebda et la construction sur son lit asséché d'une voie monumentale de 420 m de long (4). Cette ambitieuse composition est fermée au sud par un nymphée (5) et au nord par le port (6), bordé de môles équipés de larges quais et de hangars.

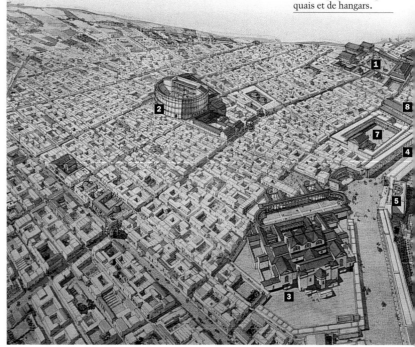

L'ascension de Leptis « la Grande »

Leptis, qualifiée de Magna (la Grande) pour la distinguer de Leptis Minus en Tunisie, voit son pouvoir administratif renforcé : municipe latin entre 74 et 77, elle devient colonie peu avant 110 sous le règne de Trajan (98-117). Ces promotions, sans doute accordées plus tard à Sabratha et Oea, offrent des avantages économiques mais imposent le devoir de se couler dans un moule « italien » : la cité abandonne la langue punique dans les proclamations et les actes officiels, et renonce à ses dernières particularités constitutionnelles héritées de Carthage. Un nouvel avantage, le droit italique, lui est accordé à titre exceptionnel vers 202 par l'empereur Septime Sévère (193-211), natif de Leptis.

À côté de la voie triomphale (**4**), le forum (**7**), flanqué de la basilique (**8**), organise l'espace urbain. Avec le grand temple de la famille Sévère trônant à l'opposé de la basilique, le complexe est fondé sur le modèle des forums impériaux de Rome. L'énorme place centrale de 6 000 mètres carrés luxueusement pavée de marbre (pages suivantes) est bordée d'un portique à deux étages reprenant le vocabulaire architectural de la voie monumentale. Les colonnes de cipolin vert y supportent directement les arches, inaugurant un schéma inédit dans l'architecture romaine. Les espaces libres au-dessus sont rythmés par de saisissants médaillons de marbre représentant des têtes de Gorgones, symboles de la victoire impériale (ci-dessus), et par quelques déités marines d'interprétation plus délicate (Néréides, déesse syrienne Atargatis ou personnification du rocher Scylla).

La basilique publique, création architecturale romaine sans équivalent dans l'art grec, est une grande place couverte constituant dans bien des villes de l'Empire une annexe aux forums. Ce lieu sert avant tout de tribunal, mais on peut aussi, en dehors des audiences, s'y promener à l'abri des intempéries, y traiter ses affaires ou y tenir des réunions. La basilique sévérienne de Leptis comporte une triple nef de 92 mètres de longueur. À l'étage, un couloir courait le long des murs, ménageant une tribune supplémentaire pour les spectateurs lors des grands procès. Le bel espace central, sobrement rythmé par quatre-vingts colonnes superposées en deux files, était fermé à chaque extrémité par des exèdres richement décorées (ci-contre). Les murs creusés de niches accueillant des statues, la rangée de colonnes ioniques en granit, l'ordre colossal corinthien dans l'axe de la nef, les pilastres de marbre ouvragés sur trois faces qui en marquent les ouvertures, tout concourait à mettre en valeur ces absides privilégiées où se tenaient les personnages importants lors de manifestations exceptionnelles.

Ce privilège qui permet d'échapper à l'impôt foncier est aussi un honneur : le sol de la cité est reconnu égal à celui de l'Italie. En témoignage de leur gratitude, les Lepcitains ajoutent le nom de Septimia à leur ville, se proclament Septimiens et, quelque temps plus tard, offrent aux habitants de Rome une importante quantité d'huile d'olive.

Un nouveau style

Jusqu'aux Antonins (IIᵉ siècle), l'architecture des villes tripolitaines est produite par des ingénieurs et des artisans locaux, utilisant les ressources du pays : la piètre qualité des roches employées pour les monuments de Sabratha le prouve. Pendant tout le Iᵉʳ siècle, on peut parler d'un style « romano-tripolitain » adapté aux conditions géographiques, humaines du pays. Sous le règne d'Hadrien, les infrastructures économiques désormais bien en place autorisent des échanges, des déplacements jusqu'alors inconnus. L'importation de nouveaux matériaux, marbres blancs de Proconèse ou de Carrare, marbres colorés de Karistos, granits égyptiens, bouleverse tout autant les méthodes de travail que le style des constructions : alors que les sculpteurs locaux taillaient chapiteaux et colonnes dans le calcaire dur des carrières voisines, les roches sont désormais envoyées en masses brutes, comme

Les pilastres de la basilique de Leptis, aux sculptures profondément creusées par le trépan, annoncent un style « baroquisant » qui connaîtra un grand succès même hors d'Afrique.

cet énorme bloc destiné à Sabratha découvert dans l'épave d'un bateau, ou en pièces préfabriquées qu'il suffit de terminer et d'adapter sur place. Quant aux colonnes, elles sont livrées dans des dimensions de série. Ainsi se développe un style international, résolument encouragé pour des raisons de propagande, qui ne laisse guère de place aux particularismes locaux : en peu de temps, le style propre à la Tripolitaine disparaît. Apparue en 123 à Leptis, avec les thermes d'Hadrien, la nouvelle mode se diffuse ensuite, à Sabratha et dans une certaine mesure en Cyrénaïque, pour culminer avec les travaux de Septime Sévère dans sa ville natale. Conduits par l'ami personnel de l'empereur, Fulvius Plautianus, ils attestent cette volonté d'affirmer la puissance et la cohésion de l'Empire. « L'ensemble de Sévère à Leptis, écrit ainsi l'archéologue anglais John B. Ward-Perkins,

Au IIIe siècle, la circulation des matériaux de luxe à travers tout l'empire est désormais chose courante. Les architectes des bâtiments publics ne sont plus les seuls à disposer de roches précieuses : des notables en parent aussi leurs demeures privées, tel Jason Magnus, prêtre d'Apollon à Cyrène. Le sol de sa salle à manger d'été (ci-dessous) est recouvert d'une somptueuse marqueterie dont les marbres, porphyres et brèches colorés proviennent des quatre coins du monde romain.

fut, en somme, romain métropolitain de conception, romain oriental d'exécution et érigé sous le mécénat d'un empereur né en Afrique dans une cité provinciale où même les classes cultivées parlaient un dialecte sémitique néo-punique aussi bien que le latin. C'est également ce que représentait l'Empire romain à la fin du IIᵉ siècle. »

Les nombreuses œuvres mises au jour à Leptis Magna, Sabratha et Cyrène (ci-dessous, le groupe des Trois Grâces, divinités que les poèmes homériques montrent préposées à la toilette d'Aphrodite) attestent la richesse et le soin apporté à la décoration des thermes romains. À gauche, sur une mosaïque de pavement des thermes de Sabratha, figurent les ustensiles nécessaires au bain (une paire de sandales, des racloirs à peau appelés strigiles, une bouteille remplie d'huile de massage), accompagnés d'une maxime de circonstance : « Se laver est bon pour toi. »

Les loisirs : les thermes

Un autre élément de cohésion pour la société du haut Empire est l'attrait, sinon la passion, pour les diverses formes de loisir : plus que tous autres, les *Africani* sont amateurs de ces plaisirs ; leurs équipements publics en témoignent. La marque romaine est tout d'abord sensible dans les thermes, établissements dont la fonction à cette époque excède largement celle d'un simple lieu où l'on se lave. Il y a un monde entre les bains de la fin de l'époque hellénistique de Cyrène, aux vasques fonctionnelles installées dans des grottes sombres, alimentées par un simple puits, et le complexe construit sous Trajan dans la même ville : bien que modeste par rapport à d'autres thermes du monde romain, il apparaît démesuré dans ses surfaces comme dans son luxe : le groupe des Trois Grâces ou la superbe statue d'Alexandre en proviennent. Quelles que soient les difficultés

d'approvisionnement en eau, chaque ville possède un ou plusieurs thermes. Sabratha dispose de trois établissements publics, au bord de la plage ou à proximité, ce qui facilite l'acheminement par gravitation des eaux propres et l'évacuation des eaux usées vers la mer. À Leptis, les thermes d'Hadrien rivalisent avec ceux de Rome. Les pièces sont distribuées selon un plan symétrique qui, en hiérarchisant les fonctions, résout efficacement les contraintes techniques : circulation des eaux, cheminement des baigneurs et du personnel, progression de l'air chaud depuis les fours des étuves jusqu'aux baignoires des salles tièdes. Toutes les pièces n'ont pu être identifiées, mais l'on sait par les textes que ce genre d'établissement comportait des salles de conférences, de réunions, des bibliothèques, voire des pinacothèques !

Les thermes des Chasseurs à Leptis évoquent quant à eux ce que pouvaient être les bains d'un petit groupe, corporation ou association, soucieux de se retrouver entre soi. Daté de la fin du IIe siècle, le bâtiment est arrivé jusqu'à nous presque intact, enfoui sous les sables : ce hasard permet d'en connaître le fragile décor de peintures murales, où les thèmes aquatiques (Nymphes, Tritons, paysage nilotique...) voisinent avec des scènes de chasse dans un amphithéâtre.

Plus modestes que ceux d'Hadrien, les thermes des Chasseurs n'en sont pas moins richement ornés. Dans le frigidarium, le décor qui met en scène des hommes aux prises avec des léopards suggère que le bâtiment pourrait avoir appartenu à des « bestiaires », organisateurs des chasses aux fauves qui se déroulaient dans l'amphithéâtre.

Les spectacles

La terre d'Afrique, jouissant d'un climat propice
aux activités de plein air, se prête bien à ces
manifestations dont les Anciens étaient si friands :
encore plus que les thermes, les édifices de
spectacles ponctuent les paysages urbains
tripolitains ou cyrénéens à toutes les périodes.

À l'époque romaine, odéons et théâtres abritent
les représentations culturelles. L'odéon est un petit
auditorium réservé aux concerts de ce que nous
appellerions musique de chambre, mais aussi aux
récitations de poésies, aux chants, aux conférences.
Celui de Ptolémaïs, construit au début de l'Empire,
ne comptait pas plus d'une centaine de places et
devait être couvert. À une date indéterminée, il est
transformé en théâtre aquatique après qu'on a rendu
étanche sa fosse d'orchestre. Cet aménagement permet
des représentations d'un genre très prisé du public :
des acteurs des deux sexes, nus, se livrent à des
ballets nautiques ou à des tableaux licencieux.

Dans les villes riches, les odéons sont décorés
avec goût : celui de Cyrène, non loin de l'agora,
a livré une somptueuse série des neuf Muses dont la
polychromie d'origine est encore visible. Les théâtres,
de même type architectural (un hémicycle faisant

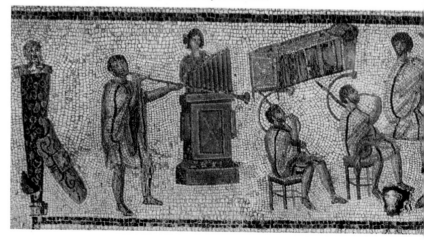

Cette vue aérienne d'un quartier de Leptis permet de bien comprendre la structure architecturale du théâtre de la ville : un soubassement de murs radiés reçoit la partie haute des gradins (*cavea*), la partie basse de l'hémicycle étant directement taillée dans le rocher. Cinq passages voûtés, les vomitoires, facilitent l'accès du public aux gradins qu'un mur sépare de l'orchestre. Cet espace est réservé aux évolutions du chœur, mais reçoit aussi sur trois rangs les sièges des spectateurs de marque, notables de la cité, hauts personnages en visite, ambassadeurs étrangers.

Lors des représentations données dans l'amphithéâtre, la musique accompagne le défilé ouvrant le spectacle (la *pompa*), puis marque les temps forts de la journée. La mosaïque d'une villa de Zliten (à gauche) évoque l'un de ces orchestres où dominent les cuivres, instruments dont la portée permet de couvrir le brouhaha de la foule. On reconnaît un trompettiste, deux joueurs de cor et une femme derrière son orgue hydraulique.

face à une scène) mais plus vastes que les odéons, peuvent abriter plusieurs milliers de spectateurs. On connaît leur importance sociale : il n'est pas innocent qu'Annobal Rufus ait choisi précisément ce type d'édifice pour manifester son évergétisme à ses concitoyens de Leptis. Le théâtre de Sabratha donne bien l'idée de ce qu'étaient les murs de scène : au-delà de leur importance pour l'acoustique et la tranquillité du lieu, ils constituaient le décor permanent d'un extérieur (rue bordée de colonnes) ou d'un intérieur (palais). Les bas-reliefs du petit mur d'avant-scène rappellent les pièces tragiques ou comiques des grands auteurs, les ballets, les mimes et les pantomimes qu'on y donnait. N'y figurent pas en revanche les genres spéciaux vers lesquels le théâtre évoluera au milieu de l'Empire : les scènes les plus atroces du répertoire classique représentées « en vrai » – un condamné à mort remplace l'acteur au moment crucial du meurtre pour y être exécuté devant le public.

Le mur de scène du théâtre de Sabratha, admirablement reconstitué par les archéologues italiens d'avant-guerre, est un excellent exemple de l'apport architectural romain (les murs des théâtres grecs étant beaucoup plus modestes). Les statues des principales divinités, toujours très présentes dans le répertoire classique, étaient installées entre les colonnes de ce décor immuable. Au centre se trouvait la porte « royale » pour l'entrée des personnages principaux et, sur les côtés, les deux portes « des hôtes », pour les rôles secondaires. Les cintres abritaient la machinerie : poulies et palans permettant de faire apparaître les dieux au moment crucial, réservoir d'eau chaude pour créer des impressions de brouillard avec de la vapeur, bandes peintes que l'on pouvait dérouler, instruments pour les effets sonores. Juste devant la scène, un logement (qui n'est plus visible à Sabratha) recevait les bras télescopiques du rideau rouge que l'on descendait au début du spectacle.

Ces tendances morbides se manifestent tout particulièrement dans les spectacles violents de l'amphithéâtre. Chaque ville se doit d'en posséder un, et les architectes ont souvent usé de toute leur science pour intégrer harmonieusement ces constructions monumentales au cadre urbain. À Ptolémaïs, Leptis ou Sabratha d'anciennes carrières en accueillent l'ellipse tandis qu'à Cyrène le vieux théâtre de l'époque grecque est refondu par l'adjonction de sièges à la place de la scène. Plus que n'importe quelles autres, les activités cruelles de l'amphithéâtre inspirent les artistes, comme en témoignent les salles de réception de la villa suburbaine de Silin reproduisant la mise à mort de prisonniers, ou les fresques des tombeaux de Cyrène.

Les Tripolitains appréciaient aussi sans mesure les jeux que l'on donnait dans les grands hippodromes appelés cirques : courses de chars,

Une journée complète dans l'amphithéâtre se déroule selon le programme suivant : le matin est réservé aux tueries de fauves à l'arc et à l'épieu (à droite, sur une fresque des thermes des Chasseurs); à midi, on meuble le temps avec les condamnés envoyés aux bêtes (ci-dessous, des prisonniers, sans doute garamantes, face à un taureau furieux); l'après-midi enfin, se déroulent les combats très attendus de gladiateurs (en bas, la statuette de bronze d'un « samnite ») qui duraient jusqu'à la tombée de la nuit.

combats de bêtes ou chasses menées par des
venatores. Admirablement conservé, le cirque
de Leptis comporte encore son axe central (la *spina*)
et ses stalles de départ dont les portes s'ouvraient
à la volée au début de la course.

Architecture adaptée, temps libre, facilités
accordées aux plus pauvres, bas instincts
outrageusement flattés, la politique des loisirs
est une composante essentielle de la société
d'alors : on a pu calculer qu'à l'époque
sévérienne un Africain romanisé, tout
comme un Romain de Rome, pouvait
passer jusqu'à deux cents jours par an
au spectacle ! Si l'on y ajoute le temps
consacré aux thermes et à la palestre,
on mesure tout le poids de ces pratiques
sociales. Au IIe siècle av. J.-C., dans son traité
Les Spectacles, le théologien chrétien Tertullien,
natif de Carthage, s'élèvera contre « la folie
du cirque, l'impudicité du théâtre, l'atrocité
de l'arène et la vanité du gymnase ». Même
s'il n'aura pas grand succès tant ce goût était
ancré en chacun, y compris les plus sages,
sa prise de position est prémonitoire des grands
changements moraux à venir.

Après la grande réforme dioclétienne (293-305), le monde romain chrétien vit des heures troublées. Alors que la Tripolitaine voit déferler les Vandales et doit se garder des tribus nomades, la Cyrénaïque connaît une stabilité relativement prospère. Mais la fin du monde romain est proche : les Byzantins, qui réorganisent le pays, ne sauront résister à l'attaque arabe lancée en 642.

CHAPITRE 4

LA LIBYE CHRÉTIENNE ET BYZANTINE

Le palais du Dux à Sôzousa (l'ancienne Apollonia) est ainsi dénommé car on pense qu'il abritait le siège du gouverneur militaire de la Pentapole byzantine. Il rassemble des pièces résidentielles privées et des espaces ouverts aux administrés (à gauche). Sur cette mosaïque de Ptolémaïs, un ange porte les fruits de la terre, symboles des bienfaits du christianisme.

L'implantation du christianisme en Libye

Les provinces d'Orient ont été en général gagnées au christianisme bien avant celles d'Occident. C'est le cas de la Cyrénaïque, où la tradition chrétienne est perceptible dès le Ier siècle : des liens économiques favorisant la circulation des idées nouvelles, une population servile importante et la présence d'une colonie juive entretenant des liens étroits avec la Palestine – l'histoire de Simon « de Cyrène » aidant le Christ dans la montée au Calvaire l'atteste – expliquent cette propagation rapide du christianisme dans les villes de la Pentapole. Dès la fin du IIe siècle, la communauté chrétienne de Cyrénaïque apparaît bien organisée. Au milieu du IIIe siècle, ses évêques sont sous l'autorité de l'archevêque d'Alexandrie qui seul a le pouvoir de trancher les litiges internes à la Pentapole. Contrairement à l'Égypte, la Cyrénaïque est peu affectée par les persécutions de l'empereur Dioclétien en 303-305. Ainsi, dès le début du IVe siècle, le christianisme s'impose dans l'ensemble de la société, tant chez les humbles que parmi les notables.

À cette Église séculière répond le développement du monachisme, très précoce en Cyrénaïque (vers 360-370, alors qu'Augustin n'ouvrira son établissement d'Hippone qu'en 391). La Pentapole compte quatre monastères à l'époque de l'évêque Synésios (410-413), un à Cyrène, deux à Ptolémaïs,

Au début du IVe siècle, en Libye comme ailleurs, les thèmes chrétiens se multiplient sur tous les supports, civils ou religieux. L'architecture est particulièrement sollicitée avec les sols aux belles mosaïques, les murs peints ou les élévations (ci-dessus, un linteau décoré de béliers affrontés). Même les objets les plus modestes (ci-dessous, une lampe à huile marquée d'une croix) servent à propager les symboles de la nouvelle foi.

un sans doute à Taucheira. Encore plus loin des villes, le désert est parcouru par des ermites (les textes en mentionnent en Marmarique et dans le golfe de Syrte), dont l'action semble surtout liée à l'évangélisation des tribus semi-nomades.

En Tripolitaine l'expansion du christianisme est aussi très dynamique, mais on y constate une résistance plus forte du paganisme. L'aristocratie locale, suivie d'une importante fraction de la population, est attachée aux formes traditionnelles : malgré l'interdiction des sacrifices et la confiscation des biens des temples, ceux-ci sont restaurés et régulièrement entretenus par les autorités municipales, comme le temple de Liber Pater à Sabratha en 350.

Le terme qui figure au-dessus de cette servante en prière, *Kosmesis* (« ornement de l'univers »), est l'une des trois formules rituelles, avec *Ktisis* (« autorité fondatrice ») et *Ananeosis* (« renouvellement », « renaissance »), que l'on utilisait lors de la fondation de toute nouvelle église à l'époque paléochrétienne.

La turbulente Église d'Afrique

Sous le règne de Constantin (306-337), le christianisme devient religion d'État, et les évêques réunis en conciles élaborent la doctrine chrétienne. L'Église d'Afrique participe activement aux débats, avec des personnalités de premier plan comme Augustin d'Hippone ou Cyprien de Carthage qui combattent les positions déviantes, vite condamnées comme hérésies. La Libye n'échappe pas à ces crises qui déchirent les communautés chrétiennes : en Cyrénaïque au début du IIIᵉ siècle, de nombreux fidèles se réclament du dogme modaliste (dont on ne sait rien), prôné par Sabellios, « citoyen de la Pentapole » ; un siècle plus tard, le donatisme (doctrine apparue en Numidie lors des persécutions dioclétiennes)

gagne la Tripolitaine. À la fin du IVᵉ siècle, ce sont les conflits liés à l'arianisme (doctrine d'Arius d'Alexandrie qui considère le Père, le Fils et l'Esprit saint comme des entités individuelles) qui divisent les chrétiens de la Pentapole avant que l'action énergique d'Athanase d'Alexandrie ne ramène l'ordre. Les textes sont muets à partir de cette période, mais les querelles entre monophysisme et diphysisme (doctrines refusant ou affirmant la double nature, divine et humaine, du Christ), qui affectent le diocèse d'Égypte, ont sans doute des répercussions en Pentapole.

La destruction des temples païens

Au milieu du IVe siècle, l'empereur Julien (361-363) tente de rétablir les anciens cultes païens. En Cyrénaïque, les réactions semblent avoir été violentes : c'est vraisemblablement à cette époque que les temples de Zeus, de Sérapis, de Déméter à Cyrène, et d'Esculape à Balagrai (l'actuelle Beida) sont en grande partie détruits ou transformés, à l'exemple du sanctuaire d'Apollon à Cyrène, en habitat privé. Les églises ne s'installent pas dans les temples désaffectés car l'on préfère construire des édifices de qualité aux Ve et VIe siècles tant en ville (Apollonia compte trois sanctuaires parés de marbre) qu'à la campagne avec les églises aux somptueuses mosaïques de Gasr el-Libia.

En Tripolitaine, le paganisme résiste plus longtemps. En 399, huit ans après l'interdiction des cultes païens par l'empereur Théodose, le pouvoir impérial est contraint d'envoyer deux émissaires chargés de désaffecter les lieux de culte et de « briser les idoles ». Les sanctuaires chrétiens occupent les édifices publics, tels le baptistère et l'église logés dans le complexe sévérien de Leptis. Des constructions nouvelles voient aussi le jour, à l'exemple de la basilique de Justinien (527-565) à Sabratha qui suscite l'admiration de l'écrivain Procope.

L'église orientale d'Apollonia (ci-dessus), datée des Ve et VIe siècles, est construite à partir de matériaux récupérés dans un temple païen détruit. Pour que l'architrave soit placée au bon niveau, les colonnes les plus courtes ont été surélevées par des bases de calcaire stuquées. En revanche l'église centrale, datée du VIe siècle, n'utilise pas de réemplois ; ses fûts, en marbre de Proconèse, sont décorés de croix surmontant des sphères (à gauche), symboles du Christ régnant sur le monde.

Le « limes », une frontière de sable

Comme tout l'ensemble du monde romain, la Libye
a connu une réforme administrative de grande
ampleur sous le règne de Dioclétien (285-305).
Détachée de la Crète, la Cyrénaïque du IVe siècle
est scindée en Libye supérieure, ou Pentapole
(la capitale est transférée de Cyrène à Ptolémaïs),
qui occupe les territoires fertiles du plateau, et Libye
inférieure, dite aussi Libye sèche (capitale, Darnis),
qui comprend le pays courant depuis la côte de
Marmarique jusqu'à l'oasis de Siwa. La Tripolitaine,
jusqu'alors une des trois circonscriptions de la province
d'Afrique proconsulaire (l'actuelle Tunisie), devient
province à part entière avec un territoire étendu
depuis la côte jusqu'au Fezzan, le pays des tribus
nomades. Dès l'époque des empereurs sévériens
(193-235), la stratégie employée jusqu'alors pour
se garantir des incursions nomades (coups de main,

La grande mosaïque
de la basilique de
Justinien, à Sabratha
(pages suivantes), se
déploie dans la nef sur
plus de 200 mètres
carrés. L'iconographie
y développe le thème
du Salut : le phénix,
symbole de la
résurrection, apparaît
au milieu d'une vigne
chargée de grappes.
Des oiseaux de toutes
espèces (le peuple des
fidèles) s'y nourrissent
de grains délicieux
(l'enseignement du
Christ). Lorsque l'âme
prisonnière du corps (la
perdrix en cage) atteint la
connaissance, sa beauté
se révèle alors, comme
celle du paon en majesté.

troupes mobiles envoyées en représailles) avait
montré ses limites. Le pouvoir, conscient du danger
présenté par l'absence de véritables lignes de
défense statiques, va réorganiser les frontières
du *Limes Tripolitanus* en s'appuyant sur trois zones
successives. Au contact des Barbares, de grands forts
(Bu Njem, Ghadamès, Gheriat el-Garbia) construits
à proximité des pistes caravanières permettent
de contrôler les points de passage obligés. Derrière
ces postes avancés, une large bande du territoire
est occupée par de nombreuses fermes fortifiées
où des soldats vétérans, les *limitanei*, assurent
à la fois la mise en valeur du pays et sa défense :
leurs mausolées aux savoureux décors ponctuent
encore les paysages désertiques. Enfin, une route
stratégique reliant Leptis Magna à la province
d'Afrique proconsulaire conforte le dispositif.

Les tombeaux des
« fermiers du désert »
qui parsèment l'arrière-
pays tripolitain au cours
des IIIe et IVe siècles
adoptent la forme
d'obélisque, comme
ceux de Mselleten
(en haut, à droite), chère
à la vieille tradition
punique. D'autres
appartiennent au type
des mausolées-temples
à façades simples ou à
arcades, beaucoup plus
richement décorés.
Les meilleurs exemples
(ci-dessous) se trouvent
à proximité des fermes
fortifiées de Ghirza.

Cette organisation a prouvé son efficacité pendant des décennies, mais, à partir de 363, incursions et attaques des tribus berbères se multiplient. Ainsi, les Austuriens, qui jusqu'alors se contentaient du pillage de fermes isolées et de raids éclairs, atteignent Leptis et assiègent la ville vers 367. Repoussés vers l'est, ils dévastent la Cyrénaïque de 405 à 412 avant de migrer vers l'Égypte.

Les Vandales

Au début du Vᵉ siècle, les Tripolitains affrontent de nouveaux envahisseurs, les Vandales, conduits par le roi Genséric. Leur avancée (mai 429) est irrésistible : de batailles en traités, ils se rendent maîtres de presque toute l'Afrique romaine et s'emparent de Carthage en 439. Ils s'imposent dès lors comme puissance majeure en Méditerranée occidentale, attaquant l'Empire dans les îles (Corse, Sardaigne, Baléares, Sicile) et jusqu'à Rome, prise et mise à sac en juin 455.

Les reliefs de calcaire ou de grès qui ornent les mausolées du désert dépeignent avant tout, d'une manière naïve et attachante, la vie quotidienne des fermiers soldats. Des caravanes chargées de ballots, des chasses à l'autruche, à l'antilope ou au lion voisinent avec des scènes plus calmes d'activités agricoles : labours (ci-dessous, un dromadaire tirant l'araire), semailles ou moissons.

Maître de toute l'Afrique, Genséric occupe la plupart des villes, comme Sabratha ou Leptis, et en fait détruire les fortifications. Il organise la province d'Afrique sans pour autant supprimer toutes les dispositions administratives antérieures : sa législation amalgame droit romain et lois nouvelles.

La reconquête byzantine

Occupés sur les marges de l'Empire à combattre les Barbares, les empereurs d'Orient ne peuvent se préoccuper réellement de reprendre les riches provinces africaines aux Vandales et leurs rares tentatives restent vouées à l'échec. À partir de Justinien (527-565), la paix signée avec les Perses autorise le redéploiement de certaines unités. La reconquête est rapidement menée : en septembre 533, les troupes byzantines, conduites par l'énergique général Bélisaire, débarquent sur la côte tunisienne et, en l'espace de quelques mois, reprennent la presque totalité de l'Afrique du Nord, mettant ainsi un terme au royaume vandale (534).

La réorganisation administrative, mise en œuvre avec détermination, réactive une part des dispositions antérieures tout en renforçant les structures militaires : un duc est placé à la tête de chacune des provinces. Pour la Tripolitaine, cet officier supérieur réside à Leptis Magna, pour la Pentapole à Sôzousa. Les villes sont renforcées, mieux défendues par des murailles parfois hâtivement dressées ; des fortins, des casernes, comme celle de Ptolémaïs, sont construits ou restaurés.

Cette reconquête éclair ne doit cependant pas masquer les difficultés quotidiennes et l'état dans lequel les villes de Tripolitaine sont tombées. Le commerce transsaharien semble désormais marginal – seul, d'après certains historiens, celui de la poudre d'or d'Afrique occidentale demeure encore florissant aux VIe et VIIe siècles. Affaiblie par la conquête vandale et par les razzias nomades, Leptis s'est vidée de ses habitants : à l'arrivée des troupes de Justinien en 523, la cité, nous dit Procope, est presque déserte et déjà à moitié envahie par les sables ; les Byzantins réduisent le périmètre défensif au minimum,

Les impressionnantes murailles de Gasr Beni Gdem donnent la mesure de l'effort défensif entrepris pour sécuriser l'ouest du massif cyrénéen. Ce fort antique, dont la date de construction demeure inconnue, est occupé à l'époque byzantine par une garnison contrôlant les accès du wadi Kuf. Son lit est en effet une voie de pénétration remarquable pour des troupes venues du sud de la Cyrénaïque : dans une de ses lettres l'évêque Synésios évoque « une gorge très longue, profonde, couverte de bois », parfaitement propice aux embuscades.

Ce *solidus* (sou) en or
de Constant II (641-668)
a été trouvé par l'équipe
française de fouilles
sous-marines,
en 1986, dans le port
d'Apollonia.
L'empereur y tient
le globe surmonté
de la croix, symbole de
l'universalité du Christ.
Associée à d'autres
indices, la découverte
de cette monnaie
frappée postérieurement
à l'arrivée des Arabes
dans la région est
importante : même
si la ville a été assez
rapidement abandonnée
par ses habitants, elle
n'a pas pour autant
connu un arrêt brutal
et immédiat de ses
activités au moment
de la conquête de l'émir
Ibn el-Ass en 643.

quelques dizaines d'hectares autour du port et du
vieux forum. La situation est à peine meilleure
à Sabratha. Saccagée et brûlée par les Austuriens
sous le règne de Valentinien Ier (364-375),
restaurée puis de nouveau ruinée par les Vandales,
la ville, au temps de Justinien, n'est plus qu'un
petit noyau fortifié limité au port et au forum.

La Cyrénaïque épargnée

On a longtemps considéré la Cyrénaïque tardive
comme une terre en déclin, décadence
traditionnellement opposée par les érudits
à son prestigieux passé grec. Cette image négative
a bien changé grâce à l'importante étude consacrée
à la province par Denis Roques : un peu à l'écart du
pouvoir central, épargnée par les Vandales et moins
touchée que la Tripolitaine par les raids des tribus
nomades, la Cyrénaïque, malgré des difficultés
sporadiques et le grave séisme de 365, semble
au contraire avoir connu une tranquillité prospère.

Une production de
céramiques très tardive
(surtout des amphores)
et la poursuite de
l'extraction de la pierre
dans les carrières
montrent que Sôzousa
a continué de vivre
et de commercer,
au moins quelques
années, avec le reste
du monde byzantin.

Le cadre administratif mis en place sous Dioclétien vers 293-305 reste stable jusqu'à l'empereur Anastase (491-518). Le choix de Ptolémaïs comme capitale permet de recentrer le siège du pouvoir et de mieux distribuer les forces militaires sans que l'on constate pour autant la ruine de Cyrène : bien qu'ayant perdu sa prééminence politique, la vieille cité reste peuplée, des hauts

Malgré la tranquillité générale dont elle jouit, la Pentapole connaît épisodiquement des problèmes, spécialement lors des attaques conduites par les tribus nomades de l'intérieur : on en aurait la trace archéologique avec

personnages y ont leur résidence et plusieurs bâtiments publics (le théâtre ou les thermes à l'entrée du sanctuaire) sont restaurés après le séisme. D'autres villes connaissent une activité architecturale vivace, comme Sôzousa, devenue à son tour capitale vers le milieu du Ve siècle.

C'est pourtant dans les campagnes que la prospérité cyrénéenne est la mieux perceptible. Les témoignages archéologiques et les textes de Synésios s'accordent : la richesse agricole du pays est toujours là avec ses moissons et ses vergers, les petites communautés villageoises sont nombreuses et suffisamment riches pour s'offrir des lieux de

la grande basilique byzantine de Ptolémaïs. Cet édifice présente en effet des particularités architecturales peu habituelles. La robustesse atypique, l'épaisseur inusitée des murs, le petit nombre et l'étroitesse des ouvertures sont caractéristiques d'une église fortifiée permettant de mettre à l'abri la population civile inapte au combat, au moment des troubles.

culte luxueusement décorés,
comme les églises de Ras el-Hilal,
d'El-Atrun ou de Gasr el-Libia,
datées du VIe siècle.

La naissance d'un autre monde

Malgré cette stabilité les villes
de la Pentapole n'allaient pas
opposer de résistance sérieuse
aux nouveaux envahisseurs, les
guerriers de l'émir Ibn el-Ass venus
d'Égypte. En 643, les conquérants
arabes occupent les cités
byzantines de Cyrénaïque les unes
après les autres : la capitale Sôzousa
est abandonnée par sa garnison qui
se replie sur Taucheira, où le siège
sera bref. Les vainqueurs se
contenteront du paiement
d'un tribut annuel obtenu après
négociation. Sur leur lancée, les
Arabes envahissent la Tripolitaine
où la résistance byzantine est aussi
faible qu'en Pentapole : des villes
aux murailles branlantes,
des troupes peu motivées
précipitent la fin d'un monde.

À l'exception de Barca en
Cyrénaïque et d'Oea, choisie
comme capitale sous le nom de
Médina par les nouveaux maîtres du pays, les villes
se dépeuplent et les populations se nomadisent peu
à peu. Les Arabes progressent toujours vers l'ouest,
et ce qui reste du pouvoir byzantin est
définitivement défait dans le réduit de Septem
(Ceuta) en 709 : la civilisation romaine quitte
à jamais l'Afrique. Ce qui perdure de vie sédentaire
urbaine s'étiole rapidement ; les glorieuses cités
de l'Empire servent de campements tandis que
les campagnes retournent à l'autarcie. Autour de
l'an mil, la deuxième vague d'invasion arabe sonne
le glas définitif d'une organisation sociale vieille
de plusieurs siècles.

La lumière du Christ
qui sauve le monde est
illustrée à Gasr el-Libia
par l'une des rares
représentations connues
du Phare d'Alexandrie,
ici surmonté de la
statue en bronze
d'Hélios. La symbolique
est claire : les chrétiens
sont sauvés par la parole
de Dieu, comme les
pêcheurs, par la lumière
du phare.

TÉMOIGNAGES ET DOCUMENTS

La fondation de Cyrène

La fondation de la cité grecque est illustrée par une relative abondance de sources anciennes, textes d'auteurs classiques et morceaux épigraphiques où se mêlent légendes, faits réels et traditions orales déformées. Ces documents ont été magistralement étudiés par François Chamoux, qui a ainsi écarté l'hypothèse d'une colonisation grecque antérieure à celle de Battos.

L'oracle de Delphes

Dans un texte célèbre, Hérodote, s'appuyant sur de vieilles traditions orales, expose les malheurs des habitants de Théra (Santorin) puis le rôle capital joué par l'oracle de Delphes qui, interrogé à trois reprises, montre imperturbablement la même direction.

Jusqu'à ce point de mon récit, les Lacédémoniens sont d'accord avec les Théréens ; à partir de ce point, ce sont les seuls Théréens qui racontent les choses comme suit. Grinnos, fils d'Aisanios, qui descendait du susdit Théras et était roi de l'île de Théra, se rendit à Delphes, amenant de sa ville une hécatombe ; des citoyens l'accompagnaient, entre autres Battos fils de Polymnestos, de la race d'Euphémos, l'un des Minyens. Comme Grinnos, roi des Théréens, consultait l'oracle sur de tout autres sujets, la Pythie lui répondit de fonder une ville en Libye. Il répliqua : « Moi, ô Seigneur, je suis déjà âgé et bien lourd pour me mettre en route ; donne donc, toi, cet ordre à quelqu'un des plus jeunes que voici. » Et, en disant ces mots, il désignait Battos. Pour l'heure, ce fut tout ; après quoi, retournés chez eux, ils ne tenaient aucun compte de l'oracle, ne sachant où sur terre se trouvait la Libye et n'osant faire partir une colonie pour une destination incertaine. Mais, pendant sept ans par la suite, il ne plut pas à Théra, et, pendant ce temps, tous les arbres qu'ils avaient dans l'île, à l'exception d'un seul, séchèrent. Les Théréens consultèrent l'oracle ; la Pythie répondit par l'ordre déjà donné d'envoyer une colonie en Libye. Comme ils ne trouvaient aucun remède à leurs maux, ils envoyèrent en Crète des députés pour rechercher si quelqu'un des Crétois ou des étrangers habitant avec eux était allé en Libye. Ces députés, en parcourant la Crète, se rendirent en particulier dans la ville d'Itanos ; et là ils rencontrèrent un pêcheur de murex, nommé Corobios, qui leur dit qu'ayant été dérouté par les vents il était arrivé en Libye, à une île de Libye, Platéa. Ils décidèrent cet homme par l'appât d'une récompense, et l'emmenèrent à Théra. De Théra partirent d'abord des hommes peu nombreux pour examiner le pays ; Corobios les conduisit à cette île dont j'ai parlé, Platéa ; ils l'y laissèrent, avec un dépôt de vivres pour un certain nombre de mois, et eux-mêmes reprirent la mer au plus vite, pour faire aux Théréens un rapport au sujet de l'île. Leur absence durant plus du temps convenu, Corobios vint à manquer de tout. Mais, là-dessus, un vaisseau samien, qui avait pour patron Colaios et qui faisait voile pour l'Égypte, fut jeté hors de sa route à cette île de Platéa ; les Samiens apprirent de Carobios toute l'affaire, et lui firent un dépôt de vivre pour un an. [...]

Pour les Théréens qui avaient laissé Corobios à Platéa, arrivés à Théra, ils annoncèrent qu'ils avaient fondé une colonie dans une île sur la côte de Libye. Les Théréens décidèrent qu'on ferait partir, à raison d'un frère sur deux désigné par le sort, des hommes pris dans tous les districts, qui étaient au nombre de sept, et qu'ils auraient Battos pour chef et roi. Dans ces conditions donc, ils expédièrent deux pentécontères à Platéa.

Hérodote,
Histoires, Livre IV

Le Serment des fondateurs

Ce texte gravé sur une stèle de marbre au début du IVe siècle av. J.-C. relate comment les premiers Théréens organisèrent, sous forme de serment solennel, leur départ définitif pour la nouvelle colonie.

« Résolution de l'Assemblée : puisqu'Apollon a ordonné spontanément à Battos et aux Théréens d'aller fonder Cyrène, les Théréens sont tout décidés à envoyer en Libye Battos comme archégète et roi ; les Théréens s'embarqueront pour l'accompagner. Ils s'embarqueront dans des conditions égales et semblables pour chaque famille, à raison d'un fils pour chacune. On dressera dans tous les villages un catalogue des hommes adultes. Parmi les autres Théréens, tout homme libre qui le voudra pourra s'embarquer. Si les colons parviennent à assurer leur établissement, celui de leurs compatriotes qui se rendra par la suite en Libye jouira de tous les droits civils et politiques et on lui attribuera par tirage au sort un lot de terre sans possesseur. Si au contraire ils ne parviennent pas à assurer leur établissement, et, si les Théréens ne pouvant leur porter secours, ils sont accablés par la nécessité pendant cinq ans, ils rentreront alors, sans crainte, de leur pays à Théra pour récupérer leurs biens et ils y seront citoyens. Qui refusera de s'embarquer, alors que la cité l'aura désigné pour l'expédition, sera passible de la peine de mort et ses biens seront confisqués. Qui l'aura recueilli ou aura tenté de lui assurer l'impunité, même si c'est un père qui aide son fils ou un frère son frère, sera frappé de la même peine que le réfractaire. » Selon les termes du décret, ils prononcèrent des serments, tant ceux qui restaient ici que ceux qui s'embarquaient pour fonder la colonie, et ils proférèrent des imprécations contre qui transgresserait ces serments et n'y serait pas fidèle, tant parmi ceux qui habiteraient en Libye que parmi ceux qui restaient ici. Ils façonnèrent des images de cire et les firent brûler et proférèrent des imprécations tous ensemble, hommes, femmes, garçons et filles : « Qui ne sera pas fidèle à ces serments, mais les transgressera, qu'il fonde et se liquéfie comme ces images, lui, ses enfants et ses biens. Pour ceux qui seront fidèles à ces serments, tant ceux qui partent pour la Libye que ceux qui restent à Théra, puissent-ils connaître, eux et leurs enfants, toutes sortes de prospérités ! »

Le Serment des fondateurs,
traduction de François Chamoux,
in « La monarchie des Battiades »,
*Bulletin des Écoles françaises
d'Athènes et de Rome*, Paris, 1953

Premiers voyageurs et premiers savants

Les témoignages anciens sur les ruines libyennes sont rares et donc d'autant plus précieux. Qu'ils émanent de simples « touristes », d'amateurs très éclairés ou de marchands, ils donnent l'irremplaçable image des sites antiques tels qu'ils étaient avant les grandes fouilles et avant l'urbanisation mutilante de ces dernières années.

Leptis Magna au XVIIᵉ siècle

On ne sait rien, ou presque, sur le « gentilhomme Durand», ni son prénom, ni la raison exacte de sa présence en Tripolitaine. Son témoignage et ses dessins sont parmi les tout premiers sur Leptis.

Quoi qu'il en soit, il faut que ce lieu ait été extrêmement superbe, puisque l'on y voit encore trois choses incomparables, la magnificence du port, qui est entièrement comblé, un cirque d'une grandeur prodigieuse, que l'on distingue aisément, et un espace de près de deux lieues le long de la mer tout bordé de murailles et d'une lieue de largeur en terre et les environs de la ville tout remplis de bâtisses et de monuments. Le port est d'une étendue et d'un travail prodigieux, tout entouré de pierres taillées au ciseau. À l'embouchure étaient deux tours, qu'il est facile de distinguer, et, immédiatement aux deux côtés de l'entrée, il y a encore des degrés qui vont jusqu'à la mer. On voit aussi encore là des restes de colonnes rompues. Des deux côtés du circuit du port, on trouve d'espace en espace des degrés faits, mais non pas si beaux que ceux des terrasses des Tuileries, et tout

autour des amarres de pierres qui servaient autrefois aux vaisseaux. Vis-à-vis l'entrée du port, le circuit se réduit en carré, et, après une plate-forme, on y monte encore vingt-cinq degrés fort larges, derrière lesquels il y a cinq voûtes et des débris de marbre et de colonnes. Apparemment, il y avait là quelque magnifique loge où les bâtiments allaient rendre raison de leurs voyages. [...]

Le cirque situé du côté du levant le long de la mer est incomparable. Il a quinze ou seize degrés tout autour, presque encore entiers. Le carré en deçà, étaient des arcades par-dessous lesquelles on passait. Il y en a encore des restes sur pied.

L'endroit autour duquel apparemment les chariots et chevaux couraient était rempli de colonnes, piédestaux et de figures de marbre. On y en voit plusieurs restes tout délabrés. Il y avait des traverses d'espace en espace pour deux personnes de front, et au bout une espèce d'amphithéâtre en rond. Derrière, au bout du grand cirque, était une grande arcade qui sortait dehors.

Le corps de la ville, comme on le distingue facilement, est presque de deux lieues le long de la mer, tout bordé de murailles de pierre de taille ; en des endroits on voit encore le cordon. Il y a dans cette muraille des pierres avec des inscriptions romaines, mises sens dessus dessous, et sans suite, qui marquent que des barbares les ont voulu renouveler. [...]

C'est une très vaste étendue, pleine de bâtisses de grosses pierres, espèce de marbre, sans chaux ni ciment, mais qui étaient liées avec du fer, et en dedans toutes couvertes d'un marbre vert dont on trouve quantité de morceaux de l'épaisseur d'un doigt, qui la plupart ont été portés à Constantinople. On a tiré de cet endroit, tant pour Constantinople autrefois que pour nous à présent, plus de sept ou huit cents colonnes et il y en a encore plus de trois à quatre cents, tant enterrées que rompues et mangées du temps. Je n'en ai vu que dix de très entières. Cet endroit était sans doute le plus superbe de la ville.

Le reste est une infinité de bâtiments les uns sur les autres, moitié comblés de sable et de plusieurs rasés jusqu'au fondement, mais tous de pierre de taille, et surtout une si grande quantité de colonnes de toutes manières, la plus grande partie de marbre, rompues et rongées, qu'il semble que la ville ait été bâtie dessus. Il y en a une douzaine qui paraissent entières, mais si l'on creusait le sable on en trouverait quantité d'ensablées.

Durand, « Relation envoyée de Tripoli touchant les antiquités de Lebeda ou Leptis Magna », *Le Mercure galant,* mars 1694

« Les plus belles ruines et les plus entières de toute l'Afrique »

Les précisions chiffrées (distances, cubages, dimensions) indiquées par Claude Lemaire témoignent des préoccupations du consul de France, soucieux de rapporter en France les matériaux les plus précieux.

Libeda est l'ancienne Leptis, située sur le bord de la mer, à 30 lieues à l'est de Tripoli, sur une espèce d'amphithéâtre ; la mer lavait les murailles de la ville pendant une grande lieue. Autant que j'en puis juger, elle pouvait avoir 3 lieues de tour ; c'était la plus belle et la plus superbe ville de l'Afrique et la plus riche de l'Afrique en marbre. J'ai tiré d'un seul temple plus de 200 colonnes ou morceaux, de 18 pieds de long et de 21 pouces de diamètre. Il y en a une trentaine à la porte de la Conférence à Paris ; elles sont toutes vertes et blanches, ondées et de marbre grec ; les autres sont sur le port à Toulon. On ne voit dans les superbes ruines que marbres de plusieurs qualités, quantités de colonnes rompues, une quantité prodigieuse de piédestaux, de bases de chapiteaux de marbre blanc de tous les ordres ; le temple avait 900 pieds de long sur 400 de large. Il y avait 6 portes ; il y en a encore deux en état et une partie de muraille, bâtie sans chaux, ni ciment, d'une espèce de jaspe. Il y avait, autant que je l'ai pu remarquer, 200 colonnes dans ce temple, d'une même qualité de marbre, les colonnes supportaient des arcades de marbre blanc, qui faisaient deux galeries, sur lesquelles on marchait à couvert, le milieu n'était point couvert ; on y voit au bout une grande muraille de même jaspe, qui est fort élevée, où il y a trois niches, où étaient apparemment les idoles.
[...]
À 50 toises du temple, près d'une des portes de la ville, il y avait un char de triomphe, supporté par 6 ou 8 colonnes de 27 pieds de long et de 42 pouces de diamètre, d'une seule pièce, de la même qualité de marbre que celui du temple,

elles en portaient par arcade 8 autres de
18 pieds, celles de 18 en portaient 8 de 12.
Ce grand et admirable édifice est presque
tout renversé. J'ai trouvé dans ces ruines,
ensevelies dans le sable, 3 colonnes de
21 pieds de long, toutes entières et sur
leurs piédestaux. La plus grande partie
des ruines de la ville sont ensevelies dans
la terre et la plupart des colonnes, que j'ai
tirées du temple, étaient sur leurs
piédestaux, ensevelis dans le sable jusqu'à
l'astragale ; j'ai travaillé près de cinq mois
pour faire dessabler ces trois grosses
colonnes, où j'ai trouvé les débris des
autres aux environs ; je les fis conduire à
la marine sur le petit port, que j'avais fait
pour embarquer les autres ; je ne les ai pu
embarquer faute de chaland assez fort
pour les porter à bord de la flûte du Roy.
J'ai trouvé plus de trente statues, toutes
mutilées et hors d'état de pouvoir
embarquer, n'ayant ni tête ni bras ;
ce sont les plus belles ruines et les plus
entières de toute l'Afrique.

Claude Lemaire,
« Mémoire des observations que le Sieur
Cl. Lemaire a fait… », in H. Omont,
*Missions archéologiques françaises
en Orient aux XVIIe et XVIIIe siècles*,
Paris, 1902

Voyage dans la Marmarique et la Cyrénaïque

*De tous les sites antiques de Libye, c'est
sans doute la nécropole de Cyrène qui a
le plus marqué le jeune savant français
Jean-Raimond Pacho (1794-1829).
Ses nombreux plans et dessins sont
accompagnés de longues descriptions
de ses pérégrinations parmi les tombeaux.*

C'est par une de ces promenades, dont
je ne prolongerai pas davantage l'inutile
confidence, que j'aperçus, vers le côté
occidental de la Nécropolis, une grotte
creusée isolément au sommet d'un
rocher. […]

Après avoir escaladé le rocher, je me
trouvai dans une petite salle dont les
parois, très-unies et peintes d'un vert
tendre, lui donnaient plutôt l'air d'un
riant cabinet aérien que d'une
excavation sépulcrale. Le fond de cette
jolie grotte en rappelle seul la
destination ; il est occupé par un
sarcophage creusé dans le roc, et
couronné d'une frise de triglyphes,
contenant dans chaque métope une
peinture élégamment miniée, et d'une
conservation parfaite. Mais ce qui
augmenta ma surprise, ce fut de
reconnaître dans la série de ces petits
tableaux les principales phases, ou les
diverses occupations de la vie d'une
esclave noire ; du moins telle est
l'induction que j'ai tirée de ces
charmantes peintures. J'ai cru y
distinguer successivement les entretiens
de l'amitié, l'éducation de jeune fille,
l'ambition de la parure, les délassements
figurés par l'exercice du balançoir, le
bain si nécessaire dans la brûlante Libye,
et enfin le triste lit de mort sur lequel
la négresse est étendue, les yeux éteints,
et paraît être regrettée de son maître,
le blanc Cyrénéen, que l'on voit à côté
d'elle dans une attitude de douleur.

[…]

Un large sentier taillé dans le roc est
devant nous ; les roues des chars antiques
le sillonnent ; nous y pénétrons, et nous
suivons avec lui transversalement les
échelons de la montagne. Mais à peine
avons-nous fait quelques pas sur ce
chemin que nous commençons à y
rencontrer latéralement d'élégants
tombeaux ; nous avançons, et les
tombeaux se multiplient, pour ainsi dire,
devant nous ; enfin nous avons atteint
le point le plus élevé du chemin, et un
spectacle imposant se développe alors

à nos yeux. Tout le flanc de la montagne, autant que la vue peut en embrasser l'étendue, se présente couvert de façades de grottes, de sarcophages et de débris de toute espèce. Ces ruines s'étendent fort loin dans la plaine qui se déroule à nos pieds, et couronnent aussi les hauteurs qui nous dominent : nous voilà donc dans la vaste Nécropolis de Cyrène.

Cependant cette réunion immense de débris de plusieurs âges et leur poétique désordre frappent tellement la vue, qu'ils n'y apportent que confusion, et l'on a besoin de se recueillir pour pouvoir distinguer tant d'objets d'entre eux. À cet effet, nous nous hâtons de chercher une retraite parmi ce grand nombre de grottes. Nous en trouvons une immense au centre même de la Nécropolis ; elle contient plusieurs salles spacieuses, la caravane entière peut y pénétrer, les logements sont distribués, et nous sommes enfin installés auprès des ruines si désirées.

[...]

Le vaste cimetière de Cyrène était, comme je l'ai déjà bien des fois appelé, une vraie Nécropolis ; c'était une ville des morts séparée de la ville des vivants. Entièrement creusée dans le flanc de la montagne, elle en suit les diverses sinuosités : elle pénètre dans ses ravines, s'avance avec ses contreforts ; et cette situation irrégulière, donnée par la nature, présente néanmoins une certaine régularité donnée par les hommes. En effet, malgré les angles profonds que décrit cette Nécropolis, malgré les amas confus de débris de toute espèce dont elle est couverte, on peut toutefois y distinguer huit ou neuf petites terrasses qui s'élèvent en échelons les unes au-dessus des autres, longent horizontalement la montagne, et sont divisées en deux parties par un ancien chemin sillonné profondément par les roues des chars, et contenant en plusieurs endroits des marches peu élevées.

Chacune de ces terrasses présente une série rarement interrompue de façades de grottes sépulcrales, dont l'élégance et la variété du style, et surtout la conservation très souvent intacte, forment un grand contraste avec les amas de débris qui les environnent. Des sarcophages monolithes, la plupart taillés dans la colline même, sont placés au-devant des terrasses, et bordent la série des façades. Ces sarcophages de roche grossière sans aucune espèce d'ornement, comparés aux pompeuses sépultures dont ils relèvent l'éclat, ressemblent plutôt à des blocs massifs de pierre qu'à des tombeaux. Ils furent infailliblement destinés à la classe pauvre des Cyrénéens ; c'était ici le peuple, là étaient les grands : même distinction, même sort après la mort que durant la vie.

[...]

Cependant toutes les grottes de cette Nécropolis ne sont pas ornées de façades à ordres d'architecture ; on y en trouve quelques-unes pareilles à celles décrites dans d'autres cantons de la Cyrénaïque, et dont l'entrée n'est qu'un simple carré pratiqué dans la roche. Celles-ci sont-elles antérieures ou postérieures aux précédentes ? C'est ce que je ne saurais affirmer, malgré que par plusieurs raisons je sois porté à pencher vers la première hypothèse. Quoi qu'il en soit, ces dernières grottes méritent seules d'être appelées Hypogées, puisque seules elles contiennent de vastes appartements souterrains, qui s'avancent quelquefois très loin dans la montagne.

[...]

Le plus considérable d'entre eux, creusé presque au sommet de la montagne, domine toute la Nécropolis, et déploie par cette situation à une très grande distance sa longue et magnifique galerie ; on croirait s'approcher des ruines imposantes de l'Égypte. On arrive auprès du monument ; et l'on trouve une colline entière divisée intérieurement en appartements funéraires, et décorée au-dehors de vingt-six colonnes et pilastres massifs, disposés sur une seule ligne, et ayant pour entablement la couche supérieure de la colline couverte de champs et d'arbustes. Ce sont bien là les efforts prodigieux de l'art égyptien ; mais voici la grâce élégante du ciseau grec, jointe aux faveurs du ciel de l'Attique.

[…]

Après cette esquisse rapide, de ce que les hypogées de Cyrène offrent de plus remarquable en perspective, il convient de pénétrer dans l'intérieur pour connaître ce qu'ils renferment. Sans quitter la partie de la Nécropolis où nous nous trouvons, mais en longeant vers le sud le sentier étroit qui borde la série d'hypogées dont je viens de faire mention, nous apercevons cinq ou six grottes, dont les entrées, encombrées de rocailles et de buissons épineux, ne semblent annoncer que d'informes cavernes. Cependant, comme les réduits les plus cachés, et les sites les plus bizarres sont ceux qui piquent davantage notre capricieuse imagination, loin de passer dédaigneux devant ces antres obscurs, nous mettons au contraire tout en œuvre pour pouvoir y pénétrer. Pioches et bâtons sont tour à tour employés ; serpents et hiboux délogent à la hâte ; enfin, après quelques égratignures et de petites contusions, nous voilà dans l'antre, et nous sommes obligés d'avouer que les travers d'esprit aident quelquefois aux découvertes de l'art. À peine nos yeux sont familiarisés avec l'obscurité que nous nous trouvons en face d'un magnifique sarcophage en marbre blanc d'une parfaite conservation, et orné sur trois côtés d'élégants bas-reliefs. Des caryatides, à la pose gracieuse, à la draperie légère, et de jeunes garçons dont la ceinture n'est voilée que par un tablier, soutiennent des guirlandes de fleurs et de feuillage où pendent des grappes de raisin. Des têtes, emblèmes de deuil, ou des rosaces, occupent le centre des médaillons formés par les ondulations des guirlandes.

[…]

Que l'on choisisse indifféremment parmi les innombrables hypogées de Cyrène, on en trouvera peu qui ne présentent pas le tableau du plus épouvantable désordre, et que l'on puisse visiter sans éprouver de grandes difficultés. Après bien des peines, en a-t-on débarrassé l'entrée ? on rencontre aussitôt de nouveaux obstacles : ce sont des pilastres et des sarcophages renversés, ou bien des blocs de rocher détachés à coups de pieux des parois de la grotte ; il faut employer pour avancer les mêmes moyens qui ont servi à obstruer le passage. Y est-on parvenu ? on doit ensuite se traîner sur des agglomérations de terre, prendre mille précautions pour conserver allumée la bougie *exploratrice*, se croiser dans sa marche rampante avec des nuées de chauves-souris qui s'enfuient effrayées : en vain on détourne la tête, il faut supporter leurs hideux attouchements. Enfin est-on arrivé au fond de la caverne ? trop heureux alors si, après tant de fatigues, quelques fragments de peintures ou d'inscriptions, dignes récompenses de ces folies de jeunesse, viennent frapper les regards de l'Européen, et faire palpiter de plaisir son cœur inexpérient. […]

Une petite grotte, taillée dans le flanc d'un ravin de la Nécropolis, offre plus de richesses monumentales à elle seule que toutes les autres ensemble. Cette grotte, sans niches ni sarcophages, contient au milieu un puits sépulcral, et ses quatre parois sont couvertes de peintures qui paraissent représenter des jeux funéraires.

La mieux conservée, comme la plus remarquable de ces peintures, occupe toute la longueur d'une paroi : elle est composée d'une série de figures dont les unes, revêtues de riches costumes, exécutent une marche solennelle ; et les autres, divisées en plusieurs groupes et couvertes d'une simple draperie, donnent l'idée du peuple de Cyrène qui assiste à la cérémonie, et s'attroupe auprès des principaux personnages.

Jean-Raimond Pacho,
Relation d'un voyage dans
la Marmarique, la Cyrénaïque, Paris, 1827

À la recherche de beaux objets

En 1848, le vice-consul de France, Vattier
de Bourville, obtient l'autorisation
de fouiller à Cyrène. Animé d'intentions
moins pures que celles de Pacho,
il rapporte tous les fragments disponibles
et n'hésite pas à démonter une tombe
pour s'emparer de ses fresques murales.

Une grotte faisant partie de la nécropolis occidentale de Cyrène et dont Pacho fait mention à la page 201 de son ouvrage a particulièrement attiré mon attention. Cet hypogée est divisé en trois pièces, et dans chacune existait un sarcophage, actuellement brisé, anéanti : ce devait être de vrais chefs-d'œuvre, d'après quelques légers débris que j'ai été assez heureux de trouver. […]

Dans ces fouilles, constamment ralenties par de grandes difficultés et la rencontre incessante d'énormes blocs de pierre taillée, j'ai trouvé dans l'intérieur de cette grotte, entre autres objets, un fragment de bas-relief ayant appartenu sans aucun doute à un des trois sarcophages et représentant une partie de corps d'un guerrier dont la tête intacte, couverte d'un casque, est entièrement détachée du fond ; près de ce guerrier était un cheval dont il reste encore quelques parties. Ce morceau, tel qu'il est, m'a paru encore digne du musée, et je l'ai emporté, ainsi qu'un superbe buste drapé en beau marbre de Paros, auquel la tête manque malheureusement ; malgré toutes mes recherches, je n'ai pu parvenir à la découvrir ; pourtant, je n'ai pas perdu tout espoir et peut-être serai-je plus heureux à mon second voyage à Cyrène.

À l'extérieur de ce mausolée excavé, parmi les décombres d'un riche portique, mes fouilles ont mis au jour jusqu'à présent quatre belles colonnes, avec leurs bases et leurs chapiteaux en volute d'ordre ionique, une grande frise en marbre uni, quatre statues plus ou moins mutilées et décapitées, dont une de femme, au-dessus de grandeur naturelle, est intacte et d'un fort beau travail : j'ai eu le bonheur d'en trouver plus tard la tête, de sorte que voilà une belle statue entière à laquelle rien ne manque qu'un morceau du nez. J'ai également découvert une magnifique tête d'homme d'une entière conservation et d'un travail parfait. En même temps qu'elle, j'ai eu une main d'homme, tenant un papyrus, et la moitié d'un pied droit, appartenant au même torse sans aucun doute. Il existe donc, dans ce même endroit, entre ce torse qui doit être très beau et qu'il s'agit de trouver, en continuant les excavations, trois ou quatre autres statues, dont la présence m'est révélée par la position de celles qui ont été découvertes les premières. Peut-être seront-elles intactes et peut-être aussi trouverons-nous les têtes de ces premières.

Dans une autre grotte, j'ai pu enlever, mais après un travail long et attentif, les six métopes dont parle Pacho à la page 210 de son ouvrage et représentant chacune, selon toute probabilité, les diverses phases de la vie d'une esclave noire favorite.

« Lettre de M. Vattier de Bourville
à M. Letronne », *Revue archéologique*, 1848

«Les pierres y sont réduites à l'apparence d'éponges»

Dès 1904, Méhier de Mathuisieulx comprend le danger couru par le site de Sabratha, dont les pierres poreuses sont très sensibles à l'érosion éolienne.

Actuellement Sabratha ne possède d'autres ruines debout que des murailles, un amphithéâtre et deux clefs de voûte. Le reste consiste en traces de murs et de dallages, au ras du sol, mêlés à des débris de pierres de taille, de fûts de colonnes, d'entablements, etc., amoncelés pêle-mêle sur une étendue de 3 kilomètres le long de la plage et sur une largeur de 400 à 500 mètres. [...]

L'amphithéâtre, situé à l'extrémité orientale de la ville, constitue le vestige le plus important. Assez bien conservé, il laisse voir presque tous ses gradins, ses petits escaliers et les *vomitoria*. L'arène mesure 45 mètres de diamètre. Les gradins, au nombre de douze, ont 0,80 m de hauteur et font un étagement total de plus de 10 mètres.

Des amas de fûts de colonnes et d'ornementations diverses, toutes brisées, gisent çà et là sur le versant septentrional des dunes. Les fûts sont en marbre cipolin, de 0,80 m de diamètre; plusieurs de ces tronçons dépassent 4 mètres de longueur. D'immenses entablements en marbre blanc mesurent 2 à 3 mètres de côté ; les ornementations y sont si frustes qu'on peut à peine les constater. À ce propos, il y a lieu de noter que les vestiges de Sabratha se caractérisent par une détérioration complète de la surface des matériaux. Les pierres y sont réduites à l'apparence d'éponges où l'on ne peut plus distinguer que la forme générale. Il est donc relativement heureux que l'interdiction d'opérer des fouilles ménage les vestiges restés enfouis. Ceux-ci

apparaîtront, au moment des fouilles futures, dans un bel état de conservation, à en juger par le socle de l'inscription dont j'ai parlé plus haut, qui a été exhumé récemment par hasard et qui semble aussi neuf qu'une sculpture toute nouvelle.

M. H. Méhier de Mathuisieulx,
Rapport sur une mission scientifique en Tripolitaine, Imprimerie nationale, 1904

Sabratha ressuscitée

Visitant Sabratha, fraîchement restaurée par les Italiens, Louis Bertrand s'enthousiasme et dénonce le pédantisme des archéologues français, hostiles à l'anastylose.

Nous quittons la route et nous obliquons à droite, dans la direction de la mer. Au milieu de la plaine mouvementée qui nous cache le bleu des vagues, une sorte de portique apparaît, percé d'arcades et flanqué de colonnettes de style classique : c'est l'entrée des ruines de Sabratha.

Le champ des fouilles, c'est-à-dire le périmètre probable de la ville romaine, est entièrement clos. Pour y pénétrer, il faut passer par ce portique moderne, derrière lequel s'abritent des tourniquets et un guichet où l'on délivre aux visiteurs, moyennant rétribution, des tickets d'entrée. [...]

Les Italiens, plus sensibles que nous aux souvenirs de Rome, ne se bornent pas à défendre les ruines antiques de Cyrénaïque et de Tripolitaine, ils les restaurent dans la mesure du possible. Et, en cela encore, je ne puis que les approuver et même les admirer. J'ai protesté aussi contre le pédantisme archéologique qui s'oppose à la restauration des ruines, sous prétexte que cela fausse la silhouette ou le plan d'un édifice. Mais tout cela est une question de mesure. Quand une colonne gît sur le sol à deux pas de son piédestal, quand toutes les pierres essentielles d'un monument sont amoncelées sur des fondations, il est absurde de ne pas remonter celle-ci et celles-là. Que MM. les archéologues dressent l'état des lieux, quand ils ont terminé leurs fouilles, – et cela aussi rigoureusement, aussi « scientifiquement » qu'ils le pourront. Mais qu'après cela ils laissent les architectes faire leur métier : les restitutions modernes donneront plus de prix à leurs livres, uniques témoignages sur l'état primitif de ces ruines au lendemain de l'exhumation. Ces villes mortes retrouvées doivent rentrer dans la vie contemporaine, sinon pour l'utilité, du moins pour la beauté, l'intelligence du passé, la grandeur des souvenirs qui s'y rattachent.

Qu'est-ce que cela signifie de faire une réclame intensive pour les « villes d'or », de convier des foules de touristes à passer la mer pour venir les admirer, – et, après cela, de les mettre en présence de cailloux informes ? Quand on dérange les gens, il faut leur montrer quelque chose. Si vous voulez en prendre la peine, vous pouvez leur offrir des spectacles réellement extraordinaires. Presque partout les matériaux sont à pied d'œuvre. Avec un peu de goût, de discrétion et d'érudition, avec beaucoup d'argent, de volonté et de persévérance, vous avez de quoi attirer les curieux des deux hémisphères.

Dans Sabratha ressuscitée, nous avons la bonne fortune d'être accompagnés par un guide incomparable, l'archéologue éminent qu'est M. Giacomo Guidi, surintendant des antiquités pour la Tripolitaine, auteur d'une foule d'études et de savantes monographies sur les fouilles de Sabratha, de Cyrène et de Leptis Magna.

Il nous reçoit dans la « palazzina » de la surintendance, jolie maison, parfaitement adaptée à son cadre. Dès le seuil, on y sent le romain. Les entours, les murs sont envahis et tapissés de débris antiques, fragments de stèles, de poteries, d'inscriptions ou même de statues.

À l'intérieur, des salles entières sont pleines de statues mutilées, d'éclats de céramiques, de coupes ou de fioles de verre. Des bras, des jambes, des torses, des têtes martelées et défigurées gisent sur le sol. Des corps intacts sont couchés sur le flanc ou sur le dos, mais les nez sont écrasés, les pieds coupés, les poignets réduits à l'état de moignons. On dirait des blessés sur un champ de bataille, une infirmerie, ou une salle d'opération. On rajuste des têtes ou des bras cassés, on met des béquilles, on rassemble comme des puzzles les morceaux de verres et de poteries, on recolle, on prend des moulages, on déchiffre des inscriptions. Cela fait songer aussi à un studio d'architecte, à un cabinet d'épigraphiste, ou à un atelier de sculpteur, plein de modèles et d'ébauches.

L'ambiance, la couleur du logis sont antiques. La salle où nous déjeunons, tous volets clos, est garnie de bas-reliefs et de fragments décoratifs. Les sièges, les candélabres de fer forgé, les vaisselles modernes disposées sur la nappe rappellent les formes des cathèdres, des lucernaires, des patères et des cyathes. Il n'est pas jusqu'aux mets, aux fruits et aux boissons qui ne soient dans le ton local : des pâtes, des œufs durs, des fromages de chèvre, des amandes et des figues, – et le vin et l'huile dans des fiasques au long col. Horace ne déjeunait pas autrement dans sa maisonnette de Tibur…

De sorte que nous passons, le plus naturellement du monde, de ce *cœnaculum* aux ruines des thermes qui avoisinent la « palazzina ».

Louis Bertrand,
Vers Cyrène, terre d'Apollon,
Fayard, 1935

Archéologie et romanité en Libye italienne

Dans ce texte inédit, le chercheur italien Massimiliano Munzi analyse le rôle politique et symbolique que la Rome antique a joué au moment de la colonisation de la Libye. Les archéologues reçoivent alors des moyens considérables pour exhumer les édifices les plus emblématiques : le passé est utilisé en fonction des exigences idéologiques du présent.

L'invention du mythe de Rome comme instrument politique moderne remonte à la Révolution française et, pour certains aspects, à la Révolution américaine. Dès le milieu du XIXe siècle, en Afrique du Nord, le colonialisme français revendique l'héritage politique et civilisateur de Rome. L'*Armée française d'Afrique* se considère comme le successeur direct de l'*Exercitus Africae* à tel point que, dans le camp légionnaire de Lambèse, la garnison française rend les honneurs au *praefectus legionis III Augustae*, T. Flavius Maximus (1849). Des spécialistes français de l'Antiquité consacrent leurs études à l'organisation militaire romaine en Afrique et, parmi eux, René Cagnat s'exclame : « Comme eux, nous avons glorieusement conquis le pays ; comme eux, nous en avons assuré l'occupation ; comme eux, nous essayons de le transformer à notre image et de le gagner à la civilisation. La seule différence c'est que nous avons fait en cinquante ans plus qu'ils n'avaient accompli en trois siècles » (1892).

L'idée que l'on réclame un droit historique sur les terres africaines est favorablement accueillie dans l'Italie qui vient d'achever son processus d'unification nationale. Ainsi devient-elle partie intégrante d'un nationalisme en plein essor qui fait de sa référence à l'Empire romain un instrument politique de puissance. Dans la période de l'expansion en Afrique orientale, le mythe de Rome est déjà opératoire, comme en témoigne la plaque commémorative, scellée sur la façade du palais des Sénateurs au Capitole, dédiée « aux glorieux soldats de Dogali qui par leur courage exceptionnel dépassèrent la légende des Fabii ». On conçoit aussi à l'étranger que l'Italie puisse exalter son héritage romain dans un but d'expansion coloniale : « Laissez-nous espérer – écrit par exemple l'explorateur anglais Henry Morton Stanley – que les premiers pas faits en Afrique par l'Italie unifiée, héritière du nom de Rome et de sa gloire, du génie des Romains et de leur esprit d'entreprise, sont les signes qu'elle se fera l'émule de l'énergie avec laquelle la Rome antique marchait sans cesse vers le sommet de la gloire et de la célébrité » (1890).

Arrêtés par Ménélik à Adoua, devancés par les Français en Tunisie, les Italiens se tournent vers la Libye. La guerre de 1911-1912, décidée par le gouvernement Giolitti, est largement soutenue par le Parlement et l'opinion publique. Parmi ses motivations, le mythe de Rome acquiert immédiatement une grande importance. Les cercles de l'Association nationaliste italienne en font leur cheval de bataille. Enrico Corradini, chef de file du mouvement, mûrit son « romanisme » au cours de son voyage en Libye, effectué à la veille du conflit, grâce aussi à sa rencontre avec des archéologues italiens qui s'y trouvaient en mission avec le but non déclaré de préparer le terrain à la conquête militaire et politique.

Sous la direction de Federico Halbherr, le petit groupe de savants arrive en Libye en 1910 et revient en 1911, quelques mois avant le débarquement des troupes. En fait aussi partie l'historien catholique Gaetano De Sanctis, lequel est convaincu que l'Italie libérale a hérité de la mission civilisatrice de la Rome impériale. L'objectif italien est de fouiller à Cyrène où travaille déjà la mission américaine, guidée par Richard Norton. La tension existant entre les deux équipes est exacerbée par l'assassinat de l'archéologue américain Helbert Fletcher De Cou, dont on accuse les Italiens.

L'idée du retour de Rome en Libye est véhiculée par des artistes et des poètes qui nourrissent ainsi l'imaginaire collectif. À un idéal légionnaire romain enterré à Leptis Magna Giuseppe Lipparini adresse ces vers : « Rome est de retour. Je sens errer les dieux au-dessus du désert : aujourd'hui, la gloire d'antan est de retour. » C'est ce même sentiment qu'exprime Fortunato Matania lorsqu'il dessine un marin qui, à peine débarqué sur la plage de Tripoli, recueille le glaive d'un légionnaire à demi enseveli sous la dune. La gravure, à laquelle s'ajoute la légende « L'Italie brandit l'épée de la Rome antique », devient une carte postale à succès. Une médaille, frappée par le navire *Marco Polo*, relie

idéalement le débarquement à Homs au traité d'alliance conclu entre Rome et Leptis Magna, au début de la guerre contre Jugurtha ; une autre médaille célèbre les armes italiennes qui ont réussi à renouveler la gloire de Rome sur le sol libyen : *alle armi italiane / che sul suolo di Libia / rinnovano / le glorie di Roma*. Dans la célèbre oraison *La grande proletaria si è mossa* (*La grande prolétaire s'éveille*) du 26 novembre 1911, Giovanni Pascoli attribue à l'Italie un droit historique sur la Libye, droit qui lui vient directement de l'Empire romain et de sa mission civilisatrice. Ainsi déclame-t-il : « Ô Tripoli, ô Bérénice, ô Leptis Magna […], vous voyez de nouveau, après tant de siècles, les colons doriques et les légions romaines ! Levez la tête : les aigles aussi sont là ! » La Victoire de la *Chanson d'outre-mer* de Gabriele D'Annunzio (1912) exhorte la nouvelle Italie à marcher sur les pas des Anciens : « Descendance féconde qui, avec moi, t'apprêtes /à nouveau à approfondir l'ancienne trace / où tu t'atteins toi-même avec ton destin. »

Les opérations militaires rapprochent les Italiens des antiquités libyennes. Les creusements des tranchées et les travaux pour la réalisation des fortifications, des routes et des cantonnements provoquent des destructions, mais aussi des découvertes archéologiques importantes. Si des mausolées, des villas et des exploitations agricoles de l'époque romaine sont souvent endommagés ou même détruits, de nombreuses mises au jour sont signalées, localisées et répertoriées. La statue d'Artémis d'Éphèse, découverte par les bersaglieri en 1912 pendant la construction d'un fort sur l'amphithéâtre de Leptis Magna, devient le signe d'un avenir faste de l'Italie en Libye.

Avec le fascisme au pouvoir, la Rome

antique est reconnue comme l'archétype mythico-historique de la nouvelle Italie, au point que le régime se propose de faire des Italiens les Romains de la modernité. La politique d'expansion en Afrique se sert de l'idée romaine d'Empire comme d'un parfait instrument théorique et de propagande. Dociles aux stratégies politiques et dotés de financements ministériels considérables, les archéologues dirigent de vastes chantiers où, à rythme forcé, ils mettent au jour des sites de grande ampleur appartenant aux anciennes villes libyennes. Les fouilles visent à atteindre les couches romaines même au prix d'éliminer à la hâte les stratifications post-classiques.

Les travaux de restauration privilégient les édifices publics pour leur évidente valeur de propagande. Les publications sont presque inexistantes ou bien ne paraissent que des décennies plus tard. Au cours des campagnes archéologiques italiennes, dans les colonies comme dans la Péninsule, la pratique des fouilles n'adopte pas la méthode stratigraphique anglaise contemporaine. Mais, au cours de cette période, dans le Maghreb français aussi, les cités monumentales romaines et les camps des légionnaires sont de précieux *signa imperii* qu'il faut exhumer sans souci de stratigraphie.

Le passé est utilisé en fonction des exigences idéologiques du présent. Les écrits scientifiques, de propagande et de divulgation exaltent l'identité atemporelle entre la colonisation romaine et les œuvres de l'Italie sur le sol libyen. L'étude des systèmes d'irrigation anciens en promeut la réintroduction et les anciennes exploitations agricoles mises au jour sont interprétées comme autant d'habitats de colons-soldats, préfiguration de la politique coloniale fasciste au bénéfice des vétérans.

Le thème du retour de Rome en Libye est évoqué par les différentes formes d'expression artistique, notamment celles qui ont un caractère de propagande marqué, tels les timbres. Si la série libyenne préfasciste (1921) s'inspirait déjà de la colonisation romaine, les thèmes archéologiques se multiplient à la fin des années 1920. Toutefois, c'est une médaille commémorative de la foire de Tripoli (1927) et un timbre de la série *Dixième anniversaire de la Marche sur Rome* (1932) qui résument le mieux les fondements idéologiques de la colonisation fasciste en Libye. La médaille d'Aurelio Mistruzzi représente Rome retournant en Libye par bateau, accompagnée de cette légende : *Roma redit per itinera vetera*. En revanche, le timbre de Mezzana présente un soldat-colon moderne défrichant la terre africaine sur le bord d'une chaussée romaine, à côté de laquelle se dresse une borne milliaire. Debout, sur le fond, un marabout libyen, en bas, la devise : « Nous revenons là où nous étions. »

C'est sous l'enseigne de Rome et de l'archéologie que Mussolini et Victor-Emmanuel visitent la Libye. En avril 1926, le Duce se rend à Sabratha où, sur le registre des visiteurs, il inscrit : « Entre la Rome du passé et celle de l'avenir », puis à Leptis, où il contemple les vestiges de la période d'Hadrien et des Sévères. Les pierres commémoratives laissées par son passage annoncent que « l'Italie du fascisme voudra et saura réunir les nouveaux destins aux anciens » et « renouveler pour le temps présent et les temps futurs le pouvoir de Rome ». En avril 1933, c'est le roi qui arrive à Leptis Magna et une plaque rappelle que « devant les colonnes et les arcs des thermes il évoqu[a], pensif, le destin et la gloire [du peuple italien] ». Quand en mars 1937 Mussolini revient en Libye c'est pour l'inauguration de la route littorale de Balbo. Cette fois-ci le voyage commence en Cyrénaïque, terre romaine de plein droit pour le Duce, qui visite Cyrène. Puis c'est le tour de la Tripolitaine : à Sabratha, il assiste à la représentation de l'*Œdipe roi* de Sophocle dans le théâtre romain restauré depuis peu ; à Leptis Magna, il admire la ville natale de Septime Sévère. Ce voyage atteint son apogée à Tripoli. Entrant dans la ville, Mussolini est accueilli par des subdivisions libyennes et par la Jeunesse arabe fasciste qui chantent « de Rome nous sommes les enfants, nous sommes les anciens légionnaires ».

Si le Duce et le roi se relaient dans les habits impériaux, gouverneurs et généraux ne renoncent pas non plus à leur rôle de proconsul. Giuseppe Volpi est le premier gouverneur du fascisme. C'est grâce à ses financements que la grande campagne de fouilles de Sabratha et de Leptis Magna commence. Volpi est tout d'abord lié à Sabratha – la ville moderne étant appelée Sabratha Vulpia en son honneur –, puis Leptis Magna s'impose pour ses monuments. Le gouverneur de la Tripolitaine aime se poser en proconsul même si les inscriptions le saluent avec le titre de *praeses prov(inciae) Tripolitanae* utilisé dans l'Antiquité tardive.

Rodolfo Graziani, le général artisan de la reconquête de la Libye, est l'interprète convaincu de la nouvelle romanité. Son admiration pour les grands chefs militaires romains se nourrit d'une culture scolaire. Ses œuvres au style césarien affecté débordent d'allusions à Rome. Dès ses premières actions militaires, il a la sensation de suivre les pas « de Rome qui a laissé partout des empreintes ineffaçables ». Lorsqu'il entreprend la marche de la reconquête du Fezzan (1929-1930), Graziani a certainement comme modèle Lucius Cornelius Balbus, ce proconsul d'Afrique qui, en 21-20 av. J.-C., avait dirigé une expédition victorieuse contre la tribu africaine des Garamantes. Pour Graziani, l'émulation de ce proconsul romain est une sorte d'obsession qui le porte à dire qu'« après Balbus, aucune autre armée romaine ne traversa ce désert : aujourd'hui, nous pouvons être fiers de le retraverser ». Fortement impressionné par la vue du mausolée dit de Cécile Plautille, qu'il croit être l'épouse d'un haut fonctionnaire romain, à Jermah, Graziani déclare que « Rome est plus proche de ce que nous pensons : cinquante générations environ nous séparent ».

La colonie libyenne vit sa plus grande splendeur sous Italo Balbo. Adulateurs et artistes rivalisent dans l'exaltation de l'« allure proconsulaire » du nouveau gouverneur général. Si les dédicaces en l'honneur de son prédécesseur Pietro Badoglio lui attribuent le titre de « *coloniae Libycae praeses* », Balbo mérite, quant à lui, celui de « *Libyae proconsul* ». C'est surtout à partir de cette période que le développement considérable des recherches archéologiques s'inscrit dans l'activité de propagande et de tourisme. Les objectifs prioritaires des fouilles sont choisis en fonction de leur impact sur l'opinion : à Leptis Magna, l'excavation des thermes d'Hadrien, de la basilique et du forum de la période de Septime Sévère et, enfin, le marché ; à Sabratha, la restauration du théâtre ; à Tripoli, la restauration du palais et de l'arc de Marc Aurèle.

Avec la conquête de l'Éthiopie, la politique coloniale fasciste, sous l'influence du nazisme, vire brusquement au racisme. Ainsi, le courant le plus extrémiste du racisme italien arrive-t-il au paradoxe grotesque de déplorer les actes de Caracalla en tant qu'empereur « africain ». Giorgio Almirante, jeune secrétaire de rédaction de la revue *La Difesa della razza* (*La Défense de la race*) et qui, après le conflit mondial, dirigera le Mouvement social italien, parti néofasciste, prononce contre Caracalla une *damnatio* moderne. En effet, la *constitutio Antoniniana*, qui accordait la citoyenneté romaine à tous les habitants des villes de l'Empire, est inconciliable avec le nouveau cours de l'Italie impériale. Cependant, Almirante ne fait qu'exacerber la pensée de nombreux historiens et juristes influents, tel Pietro De Francisci, professeur de droit romain, puis, dès 1935, recteur de l'université La Sapienza à Rome et « grand prêtre » de la romanité du régime.

L'arc des Philènes élevé en 1937.

Dans la construction du discours historique colonial fasciste, deux peuples de la Libye antique, les Carthaginois et les Garamantes, jouent un rôle de premier plan. Depuis longtemps un préjugé s'est enraciné contre les Carthaginois, considérés comme les Anglais ou les Juifs de l'Antiquité. Georges Sorel avait déjà fait de Carthage l'ancêtre des ploutocraties modernes. Des positions anti-carthaginoises, produites par l'aversion pour le colonialisme britannique exploiteur et ploutocratique, se répandent dans les milieux des spécialistes de l'Antiquité et prennent l'expression de formules colorées. Par exemple, Roberto Paribeni, directeur général des Antiquités et des Beaux-Arts, affirme : « Les Romains sont un peuple d'agriculteurs et, lorsqu'ils prennent possession d'un pays, l'embrassent entièrement, y portent toute leur vie, lui offrent leur travail et leur âme. Les Phéniciens sont un peuple de navigateurs et de marchands qui, lorsqu'ils se sont assurés de ce qui leur suffit pour l'exploitation commerciale d'un pays, ne se soucie de rien d'autre. Ces faits se répètent aussi devant nos yeux : nos jeunes colonies présentent beaucoup plus de signes de vie italienne que les anciennes colonies anglaises de vie anglaise. »

Les interprétations polémiques de l'histoire carthaginoise se multiplient au cours des années 1930, mais les visions plus équilibrées ne manquent pas. Sur l'arc des Philènes, réalisé en 1937 par Florestano Di Fausto dans le but de commémorer le voyage du Duce en Libye et l'inauguration de la route littorale de Balbo, Rome et Carthage dialoguent. Le mythe du sacrifice héroïque de ces deux frères carthaginois, transmis par le passé à travers les autels dressés à la frontière entre Proconsulaire et Cyrénaïque, se matérialise ici dans l'arc, signe architectural romain par excellence, au fronton duquel est inscrit l'hymne à Rome tiré du poème d'Horace : «*alme sol possis nihil urbe Roma videre maius*». Selon Balbo, cet «arc en marbre brise le silence millénaire de la région qui vit autrefois l'empreinte de Rome, et réunit passé et présent». «La civilisation latine – ajoute-t-il –, retrempée et renouvelée pour toujours par le génie de Mussolini, montre à nouveau au monde la renaissance de la grandeur de Rome de par sa nouvelle route impériale.»

Les Garamantes en revanche jouissent d'une bonne réputation. La mission de la Société royale de géographie au Fezzan, dont font partie le professeur Biagio Pace, Giacomo Caputo, futur surintendant de la Libye, et l'anthropologue Sergio Sergi (1933-1934), conduit des sondages et des fouilles dans l'oued el-Agial et l'oasis de Ghat. L'analyse des squelettes découverts dans la nécropole près de Jermah permet de classer les Garamantes parmi les populations méditerranéennes. Identifiés comme les ancêtres des Berbères actuels et des Touaregs, les Garamantes deviennent le symbole de l'extrême rayonnement de la romanité au cœur du Sahara.

Les sentiments anti-carthaginois s'aiguisent avec la guerre mondiale que Mussolini qualifie de «quatrième guerre punique». D'après une brochure de l'Institut d'études romaines, les Anglais y jouent évidemment le rôle des Carthaginois, l'«élément sémite qui désagrège», l'expression d'une «civilisation inférieure», à laquelle s'oppose depuis toujours Rome l'aryenne.

La guerre africaine vient tout juste de commencer que les forces de l'Axe subissent déjà des défaites. La Cyrénaïque se transforme en un champ de bataille. Il incombe à la Surintendance des Beaux-Arts d'éviter que le précieux patrimoine artistique soit endommagé par les opérations militaires ou que l'ennemi s'en empare. Lorsqu'elles reconquièrent au printemps de 1941 la Cyrénaïque, après une brève occupation britannique, les troupes germano-italiennes trouvent les villes et les campagnes dévastées par la guerre. L'agence de presse Stefani fait immédiatement circuler la nouvelle de la destruction de la collection archéologique et épigraphique de Cyrène, dont les Anglais et les Australiens sont tenus responsables. Peu après, le ministère de la Culture populaire publie un pamphlet où l'on évoque les bénéfices apportés à la région par l'Empire romain et dénonce les dommages subis par le Musée archéologique de Cyrène provoqués par les armées alliées. Il s'agit d'une exagération dictée par les exigences de la propagande que les comptes rendus rédigés par les archéologues de la Surintendance démentiront. Toutefois, des sculptures de Cyrène et de Ptolémaïs sont effectivement endommagées ou dérobées.

Alors que l'armée de Rommel avance vers l'Égypte sur les ailes de la victoire de Tobrouk, les chantiers du temple de Zeus à Cyrène et le palais des Colonnes à Ptolémaïs rouvrent. Avec l'énième renversement de la situation militaire, les monuments romains sont le palimpseste d'expressions en faveur ou contre Rome. «Sur des vestiges de murs romains – s'émeut Pietro Romanelli, ancien surintendant de la Tripolitaine – un Anglais, qui occupait ces lieux avec ses troupes, avait écrit : "*hic Roma quondam*" : en vérité, c'est une étrange façon de déclarer déchu un pouvoir qu'on d'utiliser la langue même de celui qu'on a cru avoir chassé pour toujours.» À cela un soldat italien, de retour sur ces mêmes lieux, avait répliqué : «Maintenant et toujours.»

Massimiliano Munzi
Traduction de Ida Giordano

Fouilles françaises dans le port immergé d'Apollonia

En 1985, André Laronde sollicite des autorités libyennes un permis spécial afin d'explorer les structures submergées d'Apollonia. Les travaux sous-marins débutent en septembre 1986 et se poursuivent jusqu'en 1998. L'équipe détermine avec précision le coefficient d'enfoncement des terres et propose une évolution topographique du site depuis ses origines jusqu'à son abandon à l'époque tardive.

Port de Cyrène, Apollonia a sans doute souffert de l'attirance justifiée qu'exerçait sa métropole voisine. Les voyageurs des XVIIIᵉ et XIXᵉ siècles, arrivés le plus souvent par voie de terre, l'ignoraient ou lui consacraient peu de temps. Lors du grand essor des recherches qui accompagna la présence italienne en Libye, Apollonia, destinée à devenir centre de colonisation, reçut peu d'intérêt des archéologues qui se bornèrent, tel E. Ghislanzoni, à relever les colonnes de l'église orientale, sans que ces travaux aboutissent à une publication. Après la Deuxième Guerre mondiale, R. G. Goodchild fut le premier à pressentir l'importance de ce site et, sous son impulsion, les recherches prirent un tour nouveau qui avait pour objectif les monuments de l'Antiquité tardive : églises et palais du Dux. Au même moment, la mission du regretté P. Montet accomplit en peu d'années une œuvre non négligeable : dégagement partiel de l'édifice thermal, de plusieurs quartiers d'habitation et levé du premier plan précis du site par les soins de J. Ph. Lauer. *Pendent opera interrupta* : la mission Montet dut suspendre ses travaux en 1956, et la mission américaine dirigée par D. White ne travailla que de 1965 à 1967, non sans laisser un beau volume qui présente non seulement ses travaux, mais l'ensemble de ce que l'on pouvait connaître du site à la fin des années soixante. Fr. Chamoux, qui avait participé aux travaux de P. Montet, ne put reprendre la fouille qu'en 1976. Vingt ans plus tard, une présentation d'ensemble des résultats de nos travaux n'est peut-être pas inutile.

En effet Apollonia apparaît peu dans les sources littéraires et épigraphiques. Ces témoignages ont été depuis longtemps collectés, et ils laissent d'énormes lacunes dans notre information. Si Diodore de Sicile mentionne le port de Cyrène lors des opérations de Thibron, en 324-321 av. J.-C., il le fait incidemment et non pour décrire ce port. Sur la foi d'une restitution dans une inscription datant de 67 av. J.-C. et par un témoignage de Strabon, nous apprenons l'existence d'Apollonia – jusqu'alors port de Cyrène –, mais aucune autre source ne vient nous préciser ce que fut cette métonomasie. Et que dire de Synésios qui ne mentionne jamais Apollonia ou Sôzousa, nom adopté par la ville dans l'Antiquité tardive ? On le voit, il n'est pas possible de retracer l'histoire du port de Cyrène à partir des seules sources écrites. Plus qu'ailleurs, l'apport de l'archéologie est donc ici indispensable.

Apollonia se trouve au centre d'une ample baie qui mesure un peu plus de 40 km d'est en ouest et qui est délimitée à l'est par ras el Hilal, l'ancien Naustathmos, et à l'ouest par ras Aamer, l'ancien cap Phycous. Il s'agit de la portion la plus septentrionale du littoral cyrénéen à un peu moins de 300 km de l'extrémité occidentale de la Crète, là où le continent africain est le moins éloigné de l'Europe, exception faite du détroit qui sépare la Sicile du cap Bon. À cette situation favorable Apollonia ajoute les avantages propres de son site.

André Laronde sur le site de Taucheira.

Au pied du premier emmarchement du plateau cyrénéen, la plaine ou Sahel de Susa (nom actuel d'Apollonia) est relativement étroite, moins de 2 km du rivage au pied des collines. Mais ce serait une erreur de croire que cette plaine littorale ne comporte pas d'accidents de relief. Parallèlement à la côte, nous trouvons deux cordons de dunes de grès quaternaires consolidés. Le plus méridional de ces deux cordons constitue, au contact immédiat du rivage, une ligne de collines qui culmine dans la partie orientale du site pour former l'acropole d'Apollonia, à 24,5 m au-dessus du niveau de la mer. Du côté du sud, vers l'intérieur des terres, ces collines dominent la petite plaine littorale qui se trouve entre 6 et 8 m au-dessus du niveau de la mer. La déclivité, qui varie entre 10 et 15 m, forme un élément de défense naturel.

Quant au cordon de grès dunaires situé plus au nord, à 350 m du précédent,

il est largement ennoyé depuis le relèvement du niveau moyen de la Méditerranée lié à la transgression flandrienne. Néanmoins, il émergeait avec assez de force au droit d'Apollonia pour créer une baie naturelle, par un phénomène qui se répète le long des côtes occidentales de la Cyrénaïque, à Ptolémaïs et encore à Uqla, l'ancienne Kainopolis.

Si le niveau moyen de la Méditerranée s'est encore élevé de l'ordre de 50 cm depuis deux mille ans, il s'y ajoute dans le cas d'Apollonia un phénomène de subsidence qui affecte inégalement l'ensemble du littoral cyrénéen, soit par contrecoup du remplissage en eau du bassin méditerranéen, soit par le jeu de la tectonique des plaques ; l'anticlinal très abaissé que forme le plateau cyrénéen a joué inégalement de part et d'autre d'un axe qui part en oblique du sud du wadi Cuf en direction du ras el Hilal au nord-est. Ce phénomène en cours depuis le début du quaternaire s'est poursuivi avec une intensité variable jusqu'à nos jours. Le géologue L. Moret en avait évalué l'amplitude à 3 m. Les plongeurs de la mission archéologique française ont dégagé des structures de quais et ont observé sur les blocs des traces de colonies de balanes, petits crustacés qui vivent au niveau de l'alternance d'immersion et de submersion qui marque le niveau moyen des eaux. En plusieurs points du site, ces traces ont été observées à 3,80 m de profondeur, ce qui nous donne une idée plus précise du mouvement de subsidence en cours depuis deux mille ans.

Les deux îlots aujourd'hui émergés sont les résidus d'un bras de terre qui partait de l'extrémité occidentale du rempart, et qui était formé d'atterrissements de terrains meubles emportés par les courants au fur et à mesure que le site s'enfonçait sous les eaux. Ce bras de terre s'interrompait probablement entre les récifs connus sous le nom de Grotto Reef et l'îlot occidental, ménageant ainsi une passe pour la navigation. Du côté de l'est, une large ouverture allait de l'îlot oriental à l'extrémité orientale du rempart dont la tour XX était sans aucun doute proche de la côte. En effet, G. Hallier a retrouvé là le départ du rempart qui longeait le rivage et qui ne pouvait avoir laissé hors du périmètre défendu un terre-plein qui eût été une cause d'affaiblissement des défenses du port.

[...]

Dans sa forme initiale, le port de Cyrène comportait donc un bon abri naturel accessible par deux passes, l'une – la moins importante –, au nord-ouest et l'autre, plus ample, à l'est-nord-est. Ainsi le port de Cyrène était-il accessible par tous les temps, répondant aux caractéristiques que les Grecs recherchaient. Il faut garder présent à l'esprit que les vents dominants proviennent du nord-ouest. Les bateaux en provenance de l'est pouvaient remonter le vent, tandis que ceux qui, en

plus grand nombre, venaient de l'ouest de la Cyrénaïque ou bien qui venaient du nord arrivaient au cap Phycous d'où un courant les portait en direction du port de Cyrène.

Il ne doit pas faire de doute que Battos et les Fondateurs aient utilisé le port dès la fondation de Cyrène en 631. Les avantages du site l'emportaient nettement sur ceux que pouvaient présenter les autres mouillages échelonnés le long du littoral. Quand, plus tard, le port prit le nom d'Apollonia, ce fut à l'évidence pour rappeler Apollon Apobatérios, le dieu de Delphes qui avait ordonné aux Fondateurs de gagner la Libye et qui avait guidé leur débarquement.

Dans ces conditions, il peut sembler surprenant que les travaux conduits dans le port n'aient permis de retrouver que peu de traces de l'activité humaine avant le Ve siècle. Seules les fouilles de P. Montet dans le quartier d'habitation sis à l'ouest de l'église orientale ont permis de retrouver un fragment de cratère subgéométrique, un alabastre corinthien et un fragment d'œnochoé rhodienne du début du VIe siècle. Par ailleurs, aucun vestige architectonique ne peut être attribué à l'archaïsme ou au Ve siècle, que ce soit dans les constructions urbaines ou portuaires. Faut-il s'en étonner ? Le port bénéficiait d'un abri naturel, et il n'était donc pas nécessaire de le renforcer par des môles, comme pour d'autres ports des Cyclades, tels que Paros. Et, vu la taille des bateaux, il est probable que ceux-ci étaient tirés au sec sur la grève. Enfin, la longue occupation du site durant treize siècles explique que les niveaux les plus anciens n'aient pu être atteints ou aient disparu.

Mais il est important que le premier vestige d'installation portuaire soit constitué par des cales sèches. Observées depuis longtemps pour leur partie émergée, elles ont fait l'objet d'un réexamen complet, y compris dans leur secteur submergé lors de la dernière campagne sous-marine de 1995. Ces dix loges ont une largeur homogène de 5,40 m à 6 m. Elles sont séparées par des cloisonnements longitudinaux taillés dans la roche en place et épais de 0,65 m à 0,80 m. Dans la loge n° 3 en partant de l'ouest, on observe encore une glissière médiane laissée en saillie dans la roche. La loge n° 2 présente une glissière construite en blocs de grand appareil, large de 1,46 m – sur environ 2 m de longueur conservée. Ces loges ne sont actuellement émergées que sur les 6 m de fond de la construction adossée à l'îlot occidental. Mais nous ne devons pas douter qu'elles n'aient été entièrement hors de l'eau dans l'Antiquité, comme l'attestent les épais dépôts de *terra rossa* observés en 1995 dans les loges 6 à 8, et la présence des constructions d'époque romaine qui recouvrirent ces loges (sauf peut-être les loges 2 à 4) lorsque celles-ci cessèrent d'être utilisées. Les dimensions de ces cales sèches correspondent à celles de trières dont on sait par ailleurs que la flotte cyrénéenne fut équipée au IVe siècle av. J.-C.

Nous avons donc là l'équipement portuaire le plus ancien que nous connaissions à l'heure actuelle, antérieur sans aucun doute à l'aménagement des quais […]. Notons seulement que les autres groupes de loges de navires donnés pour tels ont toute chance d'être des magasins comme leur étude systématique le démontrera.

André Laronde,
« Apollonia de Cyrénaïque :
archéologie et histoire »,
Journal des savants,
janvier-juin 1996

LIBYE ANTIQUE - VISITE DES SITES

La richesse des grands sites de la Libye antique, leur nombre, les distances kilométriques qu'il faut parcourir de l'un à l'autre amènent parfois le visiteur à craindre de ne tout voir ou, pis, de faire l'impasse sur quelque chose d'essentiel. Ces lignes n'ont pas d'autre but que de signaler au lecteur les spécificités de chaque lieu, l'originalité ou le caractère exemplaire de tel ou tel monument afin de lui permettre d'organiser au mieux son voyage.

Avant de commencer un périple qui le conduira sur 1 200 km de Sabratha à Cyrène, le voyageur gagnera à visiter le **musée de Tripoli**, excellente synthèse regroupant des collections et des maquettes de villes antiques (Cyrène, Sabratha, Leptis) organisées chronologiquement. Parmi des dizaines d'œuvres de qualité il faut noter les mosaïques provenant de villas détruites ou peu accessibles (Dar buc Ammera, villa du Nil...), les originaux des frises de **l'arc de Septime Sévère** à Leptis, dont on appréciera chaque détail (elles ont été remplacées sur place par des copies), la grande statuaire, enfin, avec des chefs-d'œuvre comme le **Diadumène** ou l'**Artémis d'Éphèse** de Leptis. Malgré tout l'intérêt de sa vieille ville, Tripoli ne présente pas d'autre monument à l'amateur d'antiques que celui de **l'arc de Marc Aurèle**, étonnant bloc de marbre massif entouré par les vestiges du temple au Génie de la colonie.

À **Sabratha**, **le théâtre**, longuement décrit dans cet ouvrage, mérite un détour à lui seul, mais d'autres vestiges retiendront l'attention, comme **le mausolée punico-hellénistique** au rare décor de chapiteaux palmiformes. Les éléments originaux qui en proviennent, conservés dans le petit musée punique à l'entrée du site, portent des traces de stucs rouge et bleu laissant imaginer l'aspect bariolé de ce type de monument à l'origine. **Le forum** de Sabratha, moins spectaculaire que celui de Leptis, mérite cependant une visite approfondie. **La curie** (Ier siècle), lieu où se tenait le sénat municipal, est restée dans un bon état de conservation avec les estrades où l'on plaçait les sièges des édiles lors des séances de délibération. De l'autre côté de la place, **la basilique** (palais de Justice) où siégeait le tribunal de la ville a été transformée en église au Ve siècle. Ses vestiges sont assez maigres mais d'un grand pouvoir évocateur : c'est sans doute là en effet que le célèbre auteur latin Apulée se défendit de l'accusation de sorcellerie, lancée injustement par sa belle-famille jalouse de conserver intact

le patrimoine familial. Un texte remarquable, l'*Apologie*, restitue sa plaidoirie. Enfin la visite de Sabratha ne sera pas complète sans une promenade dans **les thermes de la Mer**. Ils ne sont pas aussi vastes que ceux d'Hadrien à Leptis, mais ils ont le charme nostalgique des choses qui passent : les colonnes rongées par les embruns et les mosaïques surplombant la plage donnent la mesure des efforts qu'il faut déployer pour maintenir ce site.

Leptis reste bien sûr le but privilégié d'une visite de la Libye en raison de son étendue et de la qualité de ses monuments : rares sont les sites antiques qui évoquent aussi précisément la majesté et la puissance d'un ensemble urbain d'époque romaine. Aux édifices largement décrits dans cet ouvrage (**le marché et le théâtre, l'arc de Septime, le forum et la basilique, la voie à colonnes, le port**), il faut ajouter la visite du **vieux forum** afin de mesurer à quel point la faveur de l'empereur permit à Leptis de changer d'échelle, ou celle des **murailles byzantines** pour comprendre l'ampleur du repli de l'époque tardive. On aura garde d'oublier les sites un peu éloignés du centre : la découverte après une marche de quelques minutes dans les dunes de l'architecture extérieure des **thermes des Chasseurs**, toute en coupoles et en murs rosés, est un des beaux moments de cette journée. Quelques kilomètres vers l'est, l'ensemble du **cirque** et de **l'amphithéâtre** n'a pas d'équivalent dans le monde romain avec un système de galeries à moitié enterrées permettant au public de se déplacer aisément d'un lieu à l'autre. Alors que la plupart des amphithéâtres antiques frappent l'imagination par leur masse écrasant le tissu urbain environnant, celui de Leptis surprend car on découvre au dernier moment l'énorme entonnoir de ses gradins masqué dans la cavité d'une ancienne carrière. Leptis, enfin, c'est le plaisir de promenades solitaires dans les **rues pavées** qui s'étirent indéfiniment, bordées de part et d'autre par des talus hauts de plusieurs mètres ; là gisent encore inexplorés les vestiges qui requerront les soins de plusieurs générations d'archéologues.

Il faut maintenant que le visiteur franchisse les 900 km d'un morne désert avant d'atteindre la Cyrénaïque, voyage maintenant animé par un arrêt à **Medina Sultan (l'antique Charax)** où les statues en bronze des frères Philènes l'attendent dans le sable. Le contraste n'en est que plus vif avec le premier site important rencontré dans la « montagne Verte », **Ptolémaïs** et ses monuments dispersés dans le vaste périmètre de la cité hellénistique. Masqué par les eucalyptus, **l'odéon** est à la fois un remarquable exemple de ces petits auditoriums tant appréciés des Romains, mais aussi le rappel d'une salle de conseil grec, de plan similaire, le bouleutérion. Juste après l'odéon, **l'agora**, dont les colonnes se dressent au milieu de la végétation, compose un tableau charmant aux accents romantiques à la Hubert Robert. Quelques trappes ménagées dans le dallage permettent l'accès aux **vingt et une citernes** logées sous la place ; leur capacité de huit millions de litres jointe à celle de deux réservoirs à ciel ouvert tout proches illustre les problèmes d'alimentation en eau que connaissait la ville. Il ne faut pas hésiter à marcher plusieurs centaines de mètres dans la pierraille pour visiter les monuments excentrés, **la basilique fortifiée**, la porte hellénistique ou le spectaculaire **palais des Colonnes**, rare exemple d'une demeure de haut dignitaire de la période hellénistique, aux stucs colorés et aux fines mosaïques. Une partie de ce décor luxueux est conservée dans le petit musée de site délicieusement désuet que l'on parcourra plutôt en fin de visite, afin de mieux comprendre l'emplacement d'origine des vestiges qui y sont rassemblés.

En quittant Ptolémaïs, la route en lacet rappelle vite que la Cyrénaïque est formée de gradins, mais la récompense est au bout : en atteignant le plateau, il faudra immanquablement s'arrêter dans le petit **musée de Qasr el-Libia**, dont l'extérieur modeste ne laisse pas présager la fabuleuse collection de mosaïques tardives qu'il recèle. Découverts dans une **petite église du VIᵉ siècle** toute proche, ces panneaux figuratifs frappent par leur coloris joyeux et la variété des thèmes traités où se mêlent avec bonheur réminiscences de l'époque païenne et symboles chrétiens.

À plusieurs heures de là, **Cyrène**, enfin. On pourra commencer la visite par **le temple de Zeus**, un peu excentré, mais qui illustre la puissance de la colonie grecque, capable d'offrir un siècle après son arrivée de tels monuments à ses dieux. Dans la partie haute de la ville, **le Ptolémaion** puis la « rue droite » chantée par Pindare conduisent à **l'odéon** et au **portique des Hermès**, très restaurés mais d'un joli coup d'œil. On se perdra ensuite avec délices dans les couloirs de **la maison de Jason Magnus** dont les mosaïques et le patio décoré des statues des Muses font tout le charme. Avant d'arriver sur l'agora il ne faut pas manquer de passer par **la maison d'Hesychius**, un des rares exemples pour Cyrène d'une riche demeure d'époque byzantine au décor intérieur à motifs

chrétiens. Un peu plus loin, sur **l'agora** aux nombreux monuments, on notera la Victoire dressée à la proue d'un navire, ex-voto érigé à la fin de l'époque hellénistique pour commémorer une bataille navale. À ses pieds un petit monument au toit en bâtière, d'apparence anodine, pourrait être la tombe du roi Battos « héroïsé » par ses concitoyens. Quittant le plateau de l'agora, le visiteur empruntera ensuite le très raide escalier sacré conduisant à **la terrasse du sanctuaire d'Apollon** ; au passage il ne faut pas manquer **les thermes** d'époque hellénistique, dont les grottes montrent encore cuves et baignoires taillées dans la roche. Pour que la visite de Cyrène soit complète, il faut enfin se rendre dans les réserves visitables du **dépôt de fouille** : là sont présentées des œuvres majeures de l'art grec, un des ensembles les plus riches qui se puissent trouver hors de la Grèce, mais aussi des sculptures romaines (d'époque antonine surtout) d'une extrême qualité. Dans les quelques centaines de mètres carrés de ce modeste hangar se trouve une collection rivalisant avec celles des plus grands musées du monde.

Pour se rendre à **Apollonia**, emprunter de préférence la vieille route italienne qui se glisse entre les tombes de la nécropole nord : en quelques tours de roue on voit défiler le catalogue complet, la « typologie » disent les archéologues, des sépultures édifiées par les habitants de la cité pendant plusieurs siècles. Après les ruines romantiques de Cyrène, le site d'Apollonia risque de surprendre par son absence presque totale de végétation et son relief à peine marqué. Outre **les églises** et **le palais du Dux** il faudra s'approcher de la plage pour entrevoir les **murs engloutis sous les eaux** transparentes. Il faudra aussi marcher un peu dans la pierraille pour se rendre au bout du site : **le théâtre** ouvert sur la mer, que l'on découvre au dernier moment, serré contre le rempart, paiera largement les efforts consentis.

Le voyage est désormais presque achevé : il reste à parcourir la route littorale jusqu'aux **églises paléochrétiennes de Ras el-Hilal et d'El-Atrun**, dont les ruines sont admirablement mises en valeur face à une côte aux roches déchiquetées. Sur le chemin du retour vers Cyrène, quelques tombeaux de l'époque hellénistique isolés dans la campagne de **Snibat el-Awila** marquent le point extrême atteint par les colons grecs dans leur expansion orientale. Peu au-delà, la végétation disparaît progressivement pour céder la place au désert qui cerne la Cyrénaïque de toutes parts.

BIBLIOGRAPHIE

Les voyageurs

– Beechey, F. W. et H. W., *Proceedings of the Expedition to Explore the Northern Coast of Africa, from Tripoli Eastward in 1821 and 1822,* Londres, 1828.
– Bertrand, L., *Vers Cyrène, terre d'Apollon,* Fayard, Paris, 1935.
– Bruce, J., *Voyage en Nubie et en Abyssinie entrepris pour découvrir les sources du Nil,* traduit de l'anglais par M. Castera, Paris, 1790.
– Cagnat, R., « Les ruines de Leptis Magna à la fin du XVIIᵉ siècle », *Mémoire de la Société nationale des antiquaires de France,* t. LX, 1899, p. 63-78 (contient la relation du voyage de Durant à Leptis).
– Delaporte, J.-D., « Mémoire sur les ruines de Leptis Magna », *Journal asiatique,* 3ᵉ série, t. I, p. 305 sq.
– Delaporte, M., « Relations inédites de la Cyrénaïque », *Recueil de voyages et mémoires publié par la Société de géographie,* II, Paris, 1825, p. 15-31.
– Della Cella, P., *Voyage en Afrique au royaume de Barcah et dans la Cyrénaïque,* Paris, 1840.
– Di Vita, A., « La Libia nel ricordo dei viaggiatori e nell'esplorazione archeologica dalla fine del mondo antico ad oggi : brevi note », *Quaderni di archeologia della Libia,* 13, p. 63- 86.
– Lucas, P., *Voyages,* Paris, 1712, p. 110-129.
– Méhier de Mathuisieulx, H., *À travers la Tripolitaine,* Paris, 1903.
– Ben Otsmane El Hachaichi, M., *Voyage au pays des Senoussis à travers la Tripolitaine et les pays touareg,* traduit par V. Serres et Lasram, Paris, 1912.
– Pacho, J. R., *Relation d'un voyage dans la Marmarique, la Cyrénaïque, et les oasis d'Audjelah et de Maradeh,* Paris, 1827 (réédition anastatique, Laffitte Reprints, Marseille, 1979).
– Smith, R. M., Porcher, E. A., *History of the Recents Discoveries Made During an Expedition to the Cyrenaica in 1860-1861,* Londres, 1864.

Études publiées avant-guerre

– Catheu, F. de, « Les marbres de Leptis Magna dans les monuments français du XVIIIᵉ siècle », *Bulletin de la Société de l'histoire de l'art français,* 1936, p. 51-74.
– Despos, J., *La Colonisation italienne en Libye : problèmes et méthodes,* Paris, 1935.

– Fourteau, R., « La côte de la Marmarique d'après les anciens géographes grecs », *Bulletin de l'Institut d'Égypte,* 5ᵉ série, 8, 1914, p. 99-126.
– Homo, L., *Expériences africaines d'autrefois et d'aujourd'hui : Maroc, Tripolitaine, Cyrénaïque,* Paris, 1914.
– Muller, L., *Numismatique de l'ancienne Afrique, I, Monnaies de la Cyrénaïque,* Copenhague, 1860.
– Palumbo, F., *Notes sur les plantes médicinales et aromatiques des colonies italiennes,* Lons-le-Saunier, 1932.
– Romanelli, P., « La vita agricola tripolitana attraverso le rappresentazioni figurate », *Africa italiana,* 3, 1930, p. 53-75.
– Romanelli, P., *La Cirenaica romana,* Verbania, 1943 (réédition anastatique, Rome, 1971).
– Waddington, V .H., « L'édit de l'empereur Anastase sur l'administration de la Libye », *Revue archéologique,* 1868, p. 417-430.

Travaux publiés après-guerre

– Aurigemma, S., *L'Italia in Africa. Le scoperte archeologiche (1911-1943), Tripolitania, monumenti d'arte seconda, Le pitture d'età romana,* Rome, 1962.
– Bacchielli, L., Di Vita, A., Di Vita-Evrard, G., Polidori, R., *La Libye antique, cités perdues de l'Empire romain,* Mengès, Paris, 1998.
– Bianchi Bandinelli, R., Vergara Caffarelli, E., Caputo, G., *Leptis Magna,* Verona, 1964.
– Blas De Robles, J.-M., *Libye grecque, romaine et byzantine,* Edisud, Aix-en-Provence, 1999.
– Bonacasa, N. (éd.), *Cirene,* Milan, Electa, 2000.
– Brouquier-Redde, V., *Temples et cultes de Tripolitaine,* CNRS, Paris, 1992.
– Burgat, F., et Laronde, A., *La Libye,* « Que sais-je ? », P.U.F, Paris, 1996.
– Caputo, G., *Il teatro di Sabratha,* Monografie di archeologia libica, VI, Rome, 1959.
– Caputo, G., *Il teatro augusteo di Leptis Magna. Scavo e restauro (1937-1951),* Monografie di archeologia libica, III, Rome, 1987.
– Chamoux, F., *Cyrène sous la monarchie des Battiades,* Paris, 1953.
– Courtois, C., *Les Vandales et l'Afrique,* Paris, 1955.
– Desanges, J., *Toujours Afrique apporte fait nouveau,* Paris, 1999.
– Di Vita, A., « Influences grecques et tradition orientale dans l'art punique de Tripolitaine », *Mélanges de l'École française de Rome,* 80, Rome, 1968, p. 7-72.

– Goodchild, R. G., *Cyrene and Apollonia, an Historical Guide,* Tripoli, 1970.
– Hamman, A. G., *La Vie quotidienne en Afrique du Nord au temps de saint Augustin,* Paris, 1979.
– Kenrick, P. M., « Excavations at Sabratha, 1948-1951 », *Journal of Roman Studies,* Londres, 1986.
– Laronde, A., *Cyrène et la Libye hellénistique,* CNRS, Paris, 1987.
– Laronde, A., « Cyrène, Apollonia, Ptolémaïs », *Les Dossiers d'archéologie,* n° 167, janvier 1992.
– Laronde, A., *La Libye à travers les cartes postales 1900-1940,* Tunis, 1997.
– Laronde, A., « Claude Le Maire et l'exploitation des marbres de Lepcis Magna », *Bulletin de la Société nationale des antiquaires de France,* 1993, p. 242-255.
– Laronde, A., « Le port de Lepcis Magna », *Comptes rendus de l'Académie des inscriptions et belles-lettres,* 1988, p. 337-353.
– Laronde, A., « La Cirénaïque romaine, des origines à la fin des Sévères (96 av. J.-C.-235 ap. J.-C.) », *Aufstieg und Niedergang der römischen Welt,* II, 10.1, p. 1006-1064.
– Lepelley C., *Les Cités de l'Afrique romaine au Bas-empire,* Paris, 1981.
– Luni, M., « Il santuario rupestre libyo delle "imagini" a Slonta (Cyrenaica) », *Quaderni di archeologia della Libya,* 12, 1987.

– Munzi, M., *L'Epica del ritorno. Archeologia e politica nella Tripolitania italiana,* Rome, L'Erma di Bretschneider (Saggi di Storia Antica, 17), 2001.
– Pesce, G., *Il « Palazzo delle Colonne » in Tolemaide di Cirenaica,* Monografie di archeologia libica, II, Rome, 1950.
– Picard, G., « La villa du Taureau à Silin (Tripolitaine) », *Comptes rendus de l'Académie des inscriptions et des belles-lettres,* 1985, p. 227-241.
– Precheur-Canonge, T., *La Vie rurale en Afrique romaine d'après les mosaïques,* Paris, 1962.
– Rebuffat, R., « Une zone militaire et sa vie économique : le *limes* de Tripolitaine », *Armées et fiscalité dans le monde antique,* Paris, 1977, p. 395-419.
– Roques, D., *Synésios de Cyrène et la Cyrénaïque du Bas-Empire,* CNRS, Paris, 1987.
– Roques, D., « Synésios de Cyrène et le silphion de Cyrénaïque », *Revue des études grecques,* XCVII, 1984, p. 218-231.
– Stucchi, S., *Architettura cirenaica,* Monografie di archeologia libica, IX, Rome, 1975.
– Trousset, P., *Recherches sur le limes tripolitanus,* Paris, 1975.
– Ward, P., *Sabratha, a Guide for Visitors,* Darf publishers, Londres, 1970.
– Ward Perkins, J. B., *Architecture romaine,* Gallimard/Electa, Milan, 1994.

CRÉDITS PHOTOGRAPHIQUES

Alinari, Florence 10, 24, 26, 27h. Araldo de Luca, Rome 1er plat de couverture, 1, 2, 3, 4, 5, 6, 7, 9, 14, 33, 38h, 39, 41, 43, 45, 46, 47b, 50, 51h, 51bd, 51bg, 53, 54h, 54b, 61, 63h, 63b, 64-65, 65b, 68-69, 70-71, 73, 74h, 74b, 75, 76b, 80, 81b, 82, 83, 84h, 84b, 85, 86, 87, 88, 89, 90, 91b, 94, 95h, 95b, 96, 97. Archives de l'auteur 12b, 25h, 27b, 30, 112. Bibliothèque centrale du Muséum d'histoire naturelle, Paris 16, 17. Bibliothèque nationale de France, Paris 44h, 44b. Bibliothèque de la Sorbonne, Paris 19h, 19b, 127. Bridgeman-Giraudon, Paris 12h, 57. British Museum, Londres 11. Fabrizio Clerici 13, 32h. Corbis/Roger Wood 25b. G. Dagli Orti 42h, 42b, 56, 59. Gérard Degeorge 40, 55, 67h, 72, 81h. Éditions Errance- J.-C. Golvin, Paris 46-47h, 66-67b. Nicolas Fleming 35. Gallimard 52. Institut national d'histoire de l'art, Paris 21, 22, 121. Leemage/ Delius 32bg. Mission archéologique française de Libye, DR Dos de couverture, 2e plat de couverture 28-29, 34, 36, 37, 38b, 62, 91h, 92-93h, 93b, 115, 116. Robert Polidori 30-31b, 48-49, 58, 60, 78-79. Rapho/Gerster 76-77h. RMN/ H. Lewandowski 18h, 20, 23. The Royal Collection, Her Majesty Queen Elisabeth II 15.

REMERCIEMENTS

L'auteur remercie pour leur aide Jean-Marie Blas de Roblès, Hervé Danesi, Karine Descoings, Ginette Jomain, André Laronde, Michel Martin, Éric Pessarelli, Denis Roques.
L'éditeur s'associe à ces remerciements et exprime également sa reconnaissance à Massimiliano Munzi.

ÉDITION ET FABRICATION

DÉCOUVERTES GALLIMARD
COLLECTION CONÇUE PAR Pierre Marchand.
DIRECTION Élisabeth de Farcy.
COORDINATION ÉDITORIALE Anne Lemaire.
GRAPHISME Alain Gouessant.
COORDINATION ICONOGRAPHIQUE Isabelle de Latour.
SUIVI DE PRODUCTION Fabienne Brifault.
SUIVI DE PARTENARIAT Madeleine Giai-Levra.
RESPONSABLE COMMUNICATION ET PRESSE Valérie Tolstoï.
PRESSE Flora Joly.

LA LIBYE ANTIQUE
ÉDITION Laurent Lempereur.
ICONOGRAPHIE Claire Balladur.
MAQUETTE ET MONTAGE Valentina Leporé.
LECTURE-CORRECTION Pierre Granet et Valérie Minet.
PHOTOGRAVURE PPDL.

Médiéviste de formation, Claude Sintes est conservateur en chef du patrimoine,
directeur du musée de l'Arles antique, ancien membre du Conseil national
de la recherche archéologique, chercheur associé au Centre Camille Jullian (CNRS).
Depuis 1983, il fait partie de la Mission archéologique française de Libye
où il a été chargé plus spécialement de la fouille sous-marine du port d'Apollonia.
Il a assuré le commissariat scientifique de plusieurs expositions
et publié seul ou en collaboration articles, ouvrages et catalogues sur la Provence,
dont *Arles antique* (Imprimerie nationale, 1989), *Document d'évaluation
du patrimoine archéologique des villes de France*, Arles (CNAU, 1989),
et sur l'Afrique, *Sites et monuments antiques de l'Algérie* (Edisud, 2003),
Algérie antique (Éditions du musée de l'Arles antique, 2003).

À Augustine et Hector

*Dépôt légal : novembre 2004
Numéro d'édition : 124462
ISBN : 2-07-030207-5
Imprimé en France par IME*